교과서 GO! 사고력 GO!

GO! 매쓰

Jump
유형 사고력

수학 4-2

차례

구성과 특징

1 핵심 개념 정리

단원별 핵심 개념을 간결하게 정리하여
한눈에 이해할 수 있습니다.

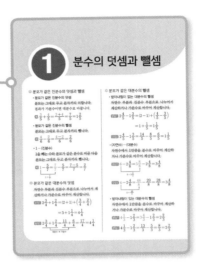

2 대표 유형 익히기

단원별 사고력 문제의 대표 유형을 뽑
아 수록하였습니다. 단계에 따라 문제를
해결하면 사고력 문제도 스스로 해결할
수 있습니다.

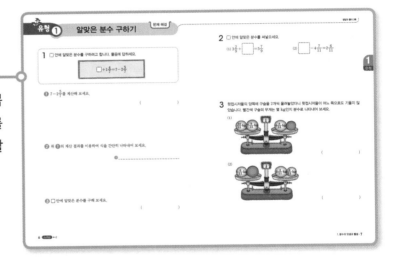

3 사고력 종합평가

한 단원을 학습한 후 종합평가를 통하
여 단원에 해당하는 사고력 문제를 잘
이해하였는지 평가할 수 있습니다.

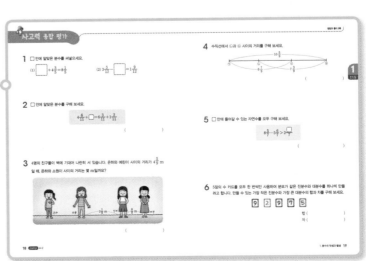

1 분수의 덧셈과 뺄셈

❋ 분모가 같은 진분수의 덧셈과 뺄셈

- **분모가 같은 진분수의 덧셈**
  분모는 그대로 두고 분자끼리 더합니다.
  결과가 가분수이면 대분수로 바꿉니다.

  예 $\dfrac{3}{5}+\dfrac{4}{5}=\dfrac{3+4}{5}=\dfrac{7}{5}=1\dfrac{2}{5}$

- **분모가 같은 진분수의 뺄셈**
  분모는 그대로 두고 분자끼리 뺍니다.

  예 $\dfrac{4}{6}-\dfrac{2}{6}=\dfrac{4-2}{6}=\dfrac{2}{6}$

- **1−(진분수)**
  1을 빼는 수와 분모가 같은 분수로 바꾼 다음
  분모는 그대로 두고 분자끼리 뺍니다.

  예 $1-\dfrac{5}{7}=\underset{1=\frac{7}{7}}{\underline{\dfrac{7}{7}}}-\dfrac{5}{7}=\dfrac{7-5}{7}=\dfrac{2}{7}$

❋ 분모가 같은 대분수의 덧셈

자연수 부분과 진분수 부분으로 나누어서 계산하거나 가분수로 바꾸어 계산합니다.

방법1 $2\dfrac{3}{4}+1\dfrac{2}{4}=(2+1)+\left(\dfrac{3}{4}+\dfrac{2}{4}\right)$

$=3+1\dfrac{1}{4}=4\dfrac{1}{4}$

방법2 $2\dfrac{3}{4}+1\dfrac{2}{4}=\underset{\text{대분수 → 가분수}}{\underline{\dfrac{11}{4}+\dfrac{6}{4}}}=\dfrac{17}{4}=4\dfrac{1}{4}$

❋ 분모가 같은 대분수의 뺄셈

- **받아내림이 없는 대분수의 뺄셈**
  자연수 부분과 진분수 부분으로 나누어서
  계산하거나 가분수로 바꾸어 계산합니다.

  방법1 $2\dfrac{4}{5}-1\dfrac{3}{5}=(2-1)+\left(\dfrac{4}{5}-\dfrac{3}{5}\right)$

  $=1+\dfrac{1}{5}=1\dfrac{1}{5}$

  방법2 $2\dfrac{4}{5}-1\dfrac{3}{5}=\dfrac{14}{5}-\dfrac{8}{5}=\dfrac{6}{5}=1\dfrac{1}{5}$

- **(자연수)−(대분수)**
  자연수에서 1만큼을 분수로 바꾸어 계산하거나 가분수로 바꾸어 계산합니다.

  방법1 $6-2\dfrac{4}{8}=\underset{6=5\frac{8}{8}}{\underline{5\dfrac{8}{8}}}-2\dfrac{4}{8}=3\dfrac{4}{8}$

  방법2 $6-2\dfrac{4}{8}=\underset{6=\frac{48}{8}}{\underline{\dfrac{48}{8}}}-\dfrac{20}{8}=\dfrac{28}{8}=3\dfrac{4}{8}$

- **받아내림이 있는 대분수의 뺄셈**
  자연수에서 1만큼을 분수로 바꾸어 계산하거나 가분수로 바꾸어 계산합니다.

  방법1 $4\dfrac{1}{3}-1\dfrac{2}{3}=3\dfrac{4}{3}-1\dfrac{2}{3}=2\dfrac{2}{3}$

  방법2 $4\dfrac{1}{3}-1\dfrac{2}{3}=\dfrac{13}{3}-\dfrac{5}{3}=\dfrac{8}{3}=2\dfrac{2}{3}$

1 □ 안에 알맞은 분수를 구하려고 합니다. 물음에 답하세요.

$$\square + 1\frac{4}{7} = 7 - 2\frac{5}{7}$$

❶ $7 - 2\frac{5}{7}$ 를 계산해 보세요.

(   )

❷ 위 **❶**의 계산 결과를 이용하여 식을 간단히 나타내어 보세요.

식

❸ □ 안에 알맞은 분수를 구해 보세요.

(   )

2 ☐ 안에 알맞은 분수를 써넣으세요.

(1) $3\frac{2}{9} + \boxed{} = 5\frac{7}{9}$

(2) $\boxed{} - 4\frac{7}{11} = 2\frac{6}{11}$

3 윗접시저울의 양쪽에 구슬을 2개씩 올려놓았더니 윗접시저울이 어느 쪽으로도 기울지 않았습니다. 빨간색 구슬의 무게는 몇 kg인지 분수로 나타내어 보세요.

(1)

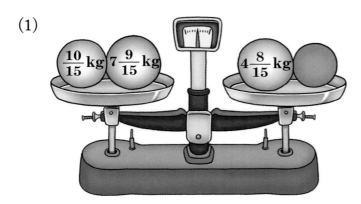

(   )

(2)

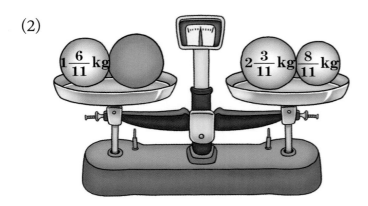

(   )

1 수직선에서 ★과 ● 사이의 거리를 구하려고 합니다. 물음에 답하세요.

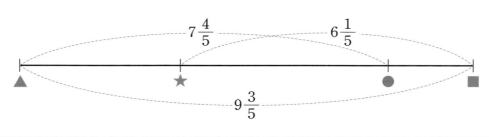

❶ ☐ 안에 알맞은 기호를 써넣어 문장을 완성해 보세요.

●와 ■ 사이의 거리는 ▲와 ■ 사이의 거리에서 ☐ 와 ☐ 사이의 거리를 뺀 것과 같습니다.

❷ ●와 ■ 사이의 거리를 구하려고 합니다. ☐ 안에 알맞은 분수를 써넣으세요.

(●와 ■ 사이의 거리) = ☐ − ☐ = ☐

❸ ★과 ● 사이의 거리를 구하려고 합니다. ☐ 안에 알맞은 분수를 써넣으세요.

(★와 ● 사이의 거리) = ☐ − ☐ = ☐

2 수직선에서 ⓒ과 ⓓ 사이의 거리를 구해 보세요.

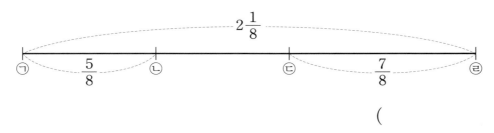

(   )

3 수직선에서 ⓒ과 ⓓ 사이의 거리를 구해 보세요.

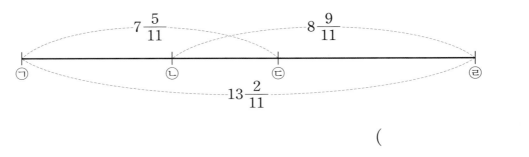

(   )

4 수직선에서 ⓒ과 ⓔ 사이의 거리를 구해 보세요.

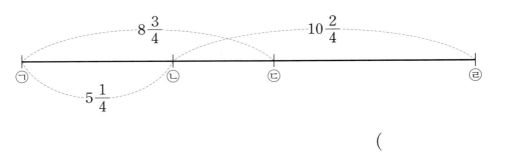

(   )

유형 ③ 수 카드로 분수 만들기

1 5장의 수 카드를 모두 한 번씩만 사용하여 분모가 같은 진분수와 대분수를 하나씩 만들려고 합니다. 만들 수 있는 가장 큰 진분수와 가장 작은 대분수의 합과 차를 구할 때, 물음에 답하세요.

$$\boxed{5}\quad\boxed{7}\quad\boxed{2}\quad\boxed{7}\quad\boxed{4}$$

❶ □ 안에 알맞은 수를 써넣으세요.

> 5장의 수 카드를 모두 한 번씩만 사용하여 만드는 진분수와 대분수의 분모가 같습니다. 따라서 분모가 될 수 있는 수는 수 카드가 2장인 □입니다.

❷ 만들 수 있는 가장 큰 진분수를 구해 보세요.

(   )

❸ 만들 수 있는 가장 작은 대분수를 구해 보세요.

(   )

❹ 만든 두 분수의 합과 차를 구해 보세요.

합 (   )

차 (   )

2 6장의 수 카드를 모두 한 번씩만 사용하여 분모가 8인 2개의 대분수를 만들려고 합니다. 만들 수 있는 가장 큰 대분수와 가장 작은 대분수의 합을 구해 보세요.

$$\boxed{8} \quad \boxed{9} \quad \boxed{7} \quad \boxed{5} \quad \boxed{3} \quad \boxed{8}$$

(   )

1 단원

3 7장의 수 카드 중에서 6장을 뽑아 한 번씩만 사용하여 분모가 같은 2개의 대분수를 만들려고 합니다. 만들 수 있는 가장 큰 대분수와 가장 작은 대분수의 차를 구해 보세요.

$$\boxed{8} \quad \boxed{2} \quad \boxed{9} \quad \boxed{4} \quad \boxed{7} \quad \boxed{9} \quad \boxed{6}$$

(   )

4 1부터 9까지의 수 카드가 각각 1장씩 있습니다. 9장의 수 카드 중에서 4장을 뽑아 뽑힌 수를 ▢ 안에 한 번씩 써넣어 분모가 10인 대분수를 만들려고 합니다. 이때 합이 가장 큰 대분수 2개를 만들고 두 분수의 합을 구해 보세요.

대분수 2개	합
$\boxed{}\dfrac{\boxed{}}{10}$, $\boxed{}\dfrac{\boxed{}}{10}$	

유형 ④ 바르게 계산한 값 구하기 추론

1 어떤 수에 $3\frac{2}{7}$ 를 더하고 $1\frac{5}{7}$ 를 빼야 할 것을 잘못하여 $2\frac{3}{7}$ 을 더하고 $4\frac{5}{7}$ 를 빼었더니 $3\frac{6}{7}$ 이 되었습니다. 바르게 계산한 값은 얼마인지 구하려고 합니다. 물음에 답하세요.

❶ 어떤 수를 ☐라 하여 잘못 계산한 식을 써 보세요.

> 잘못하여 어떤 수에 $2\frac{3}{7}$ 을 더하고
> $4\frac{5}{7}$ 를 빼었더니 $3\frac{6}{7}$ 이 되었습니다.

➡ _____

❷ 위 ❶의 식을 이용하여 ☐를 구해 보세요.

(   )

❸ 바르게 계산한 식을 쓰고 답을 구해 보세요.

 _____

답 _____

2 어떤 수에 $2\frac{8}{13}$을 더해야 할 것을 잘못하여 빼었더니 $9\frac{7}{13}$이 되었습니다. 바르게 계산한 값은 얼마인지 구해 보세요.

(1) 어떤 수를 구해 보세요.

(   )

(2) 바르게 계산한 값을 구해 보세요.

(   )

3 어떤 수에 $1\frac{5}{9}$를 빼고 $3\frac{7}{9}$을 더해야 할 것을 잘못하여 $1\frac{5}{9}$를 더하고 $3\frac{7}{9}$을 빼었더니 $2\frac{4}{9}$가 되었습니다. 바르게 계산한 값은 얼마인지 구해 보세요.

(1) 어떤 수를 구해 보세요.

(   )

(2) 바르게 계산한 값을 구해 보세요.

(   )

유형 ⑤ 한 변의 길이 구하기

문제 해결

---

1 삼각형 모양 초콜릿의 세 변의 길이의 합과 정사각형 모양 쿠키의 네 변의 길이의 합이 같습니다. 쿠키의 한 변의 길이를 구하려고 합니다. 물음에 답하세요.

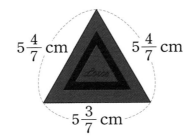 

$5\frac{4}{7}$ cm $5\frac{4}{7}$ cm

$5\frac{3}{7}$ cm

❶ 초콜릿의 세 변의 길이의 합은 몇 cm일까요?

(   )

❷ 쿠키의 한 변의 길이를 □ cm로 하여 쿠키의 네 변의 길이의 합을 나타내는 식을 써 보세요.

식 _____

❸ 쿠키의 한 변의 길이는 몇 cm일까요?

(   )

2 왼쪽 삼각형의 세 변의 길이의 합과 오른쪽 사각형의 네 변의 길이의 합이 같습니다. 삼각형의 세 변의 길이가 모두 같을 때, 삼각형의 한 변의 길이를 구해 보세요.

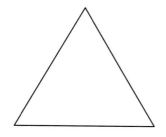

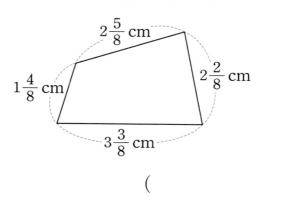

(   )

3 왼쪽 삼각형의 세 변의 길이의 합과 오른쪽 정사각형의 네 변의 길이의 합이 같습니다. 삼각형의 세 변의 길이가 같을 때, 삼각형의 한 변의 길이를 구해 보세요.

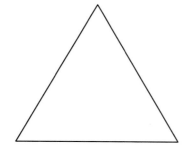

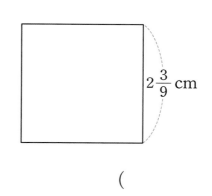

(   )

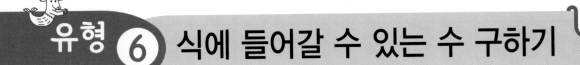

유형 ⑥ 식에 들어갈 수 있는 수 구하기

1 ♣는 같은 수를 나타냅니다. 두 식의 ♣ 안에 공통으로 들어갈 수 있는 자연수를 모두 구하려고 합니다. 물음에 답하세요.

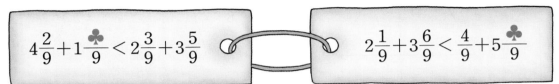

$$4\frac{2}{9}+1\frac{♣}{9} < 2\frac{3}{9}+3\frac{5}{9}$$

$$2\frac{1}{9}+3\frac{6}{9} < \frac{4}{9}+5\frac{♣}{9}$$

❶ 위 식을 간단하게 나타내려고 합니다. □ 안에 알맞은 수를 써넣으세요.

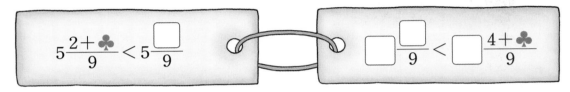

$$5\frac{2+♣}{9} < 5\frac{\Box}{9}$$

$$\Box\frac{\Box}{9} < \Box\frac{4+♣}{9}$$

❷ 왼쪽 식에서 ♣ 안에 들어갈 수 있는 자연수에 모두 ○표 하세요.

(1 , 2 , 3 , 4 , 5 , 6 , 7 , 8)

❸ 오른쪽 식에서 ♣ 안에 들어갈 수 있는 자연수에 모두 ○표 하세요.

(1 , 2 , 3 , 4 , 5 , 6 , 7 , 8)

❹ 두 식의 ♣ 안에 공통으로 들어갈 수 있는 자연수를 모두 써 보세요.

( )

2 다음 수 중에서 ☐ 안에 들어갈 수 있는 수에 모두 ○표 하세요.

$$3\frac{4}{7}+2\frac{2}{7}<1\frac{\square}{7}+4\frac{5}{7}$$

(1 , 2 , 3 , 4 , 5 , 6)

3 ☐ 안에 들어갈 수 있는 자연수는 모두 몇 개일까요?

$$4\frac{3}{10}+3\frac{2}{10}<\frac{\square}{10}<9\frac{9}{10}-1\frac{4}{10}$$

( )

4 ☐ 안에 들어갈 수 있는 자연수를 모두 구해 보세요.

$$5\frac{\square}{11}+3\frac{9}{11}<9\frac{5}{11}$$

( )

사고력 종합 평가

1 □ 안에 알맞은 분수를 써넣으세요.

(1) $\boxed{} + 4\frac{3}{5} = 8\frac{1}{5}$

(2) $3\frac{5}{12} - \boxed{} = 1\frac{9}{12}$

2 □ 안에 알맞은 분수를 구해 보세요.

$$4\frac{6}{11} + \boxed{} = 6\frac{3}{11} + 1\frac{2}{11}$$

(   )

3 4명의 친구들이 벽에 기대어 나란히 서 있습니다. 은하와 예린이 사이의 거리가 $4\frac{5}{9}$ m 일 때, 은하와 소원이 사이의 거리는 몇 m일까요?

(   )

4 수직선에서 ⓒ과 ⓒ 사이의 거리를 구해 보세요.

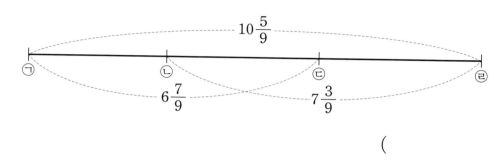

( )

5 □ 안에 들어갈 수 있는 자연수를 모두 구해 보세요.

$$8\frac{5}{7}-5\frac{6}{7}>2\frac{\square}{7}$$

( )

6 5장의 수 카드를 모두 한 번씩만 사용하여 분모가 같은 진분수와 대분수를 하나씩 만들려고 합니다. 만들 수 있는 가장 작은 진분수와 가장 큰 대분수의 합과 차를 구해 보세요.

9 2 9 7 5

합 ( )

차 ( )

7 8장의 수 카드 중에서 6장을 뽑아 한 번씩만 사용하여 분모가 같은 2개의 대분수를 만들려고 합니다. 만들 수 있는 가장 큰 대분수와 가장 작은 대분수의 합을 구해 보세요.

(   )

8 1부터 6까지의 수 카드가 각각 1장씩 있습니다. 6장의 수 카드 중에서 4장을 뽑아 한 번씩만 사용하여 분모가 8이고 합이 가장 작은 대분수 2개를 만들고 두 수의 합을 구해 보세요.

대분수 2개	합
$\square\dfrac{\square}{8}$, $\square\dfrac{\square}{8}$	

9 양팔저울의 한쪽에는 무게가 각각 $1\dfrac{4}{6}$ kg, $2\dfrac{3}{6}$ kg인 책 2권이 올려져 있고 반대쪽에는 무게가 $\dfrac{5}{6}$ kg인 우산이 올려져 있습니다. 양팔저울이 어느 쪽으로도 기울지 않기 위해서는 우산 옆에 몇 kg인 물건을 올려야 할까요?

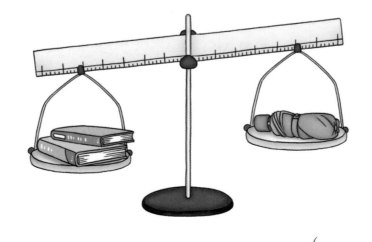

(   )

10 어떤 수에 $2\frac{3}{7}$을 더하고 $3\frac{5}{7}$를 빼야 할 것을 잘못하여 $2\frac{3}{7}$을 빼고 $3\frac{5}{7}$를 더하였더니 $6\frac{2}{7}$가 되었습니다. 바르게 계산한 값은 얼마일까요?

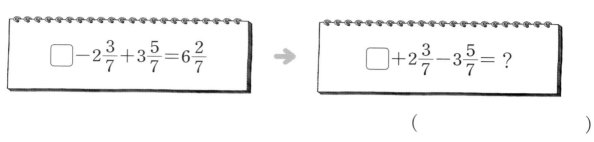

$$\square - 2\frac{3}{7} + 3\frac{5}{7} = 6\frac{2}{7} \quad \Rightarrow \quad \square + 2\frac{3}{7} - 3\frac{5}{7} = ?$$

(   )

11 $\square$ 안에 들어갈 수 있는 자연수는 모두 몇 개인지 구해 보세요.

$$2\frac{4}{9} + 3\frac{2}{9} < \frac{\square}{9} < 7\frac{8}{9} - 1\frac{2}{9}$$

(   )

12 삼각형 모양 단추의 세 변의 길이의 합과 정사각형 모양 단추의 네 변의 길이의 합이 같습니다. 정사각형 모양 단추의 한 변의 길이는 몇 cm인지 구해 보세요.

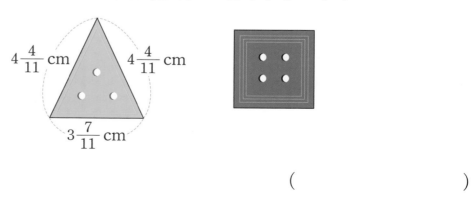

$4\frac{4}{11}$ cm $4\frac{4}{11}$ cm

$3\frac{7}{11}$ cm

(   )

13 어떤 수에 $5\frac{3}{10}$을 더하고 $2\frac{9}{10}$를 빼야 할 것을 잘못하여 $5\frac{3}{10}$을 빼고 $2\frac{9}{10}$를 더했더니 $3\frac{4}{10}$가 되었습니다. 바르게 계산한 값은 얼마인지 구해 보세요.

(   )

14 앞에서 보았을 때 지붕이 삼각형 모양이고 아래가 직사각형 모양인 집이 있습니다. 삼각형의 세 변의 길이의 합과 직사각형의 네 변의 길이의 합이 같을 때, 직사각형의 세로는 몇 m인지 구해 보세요.

(   )

15 ♠는 같은 수를 나타냅니다. 다음 수 중에서 두 식의 ♠ 안에 공통으로 들어갈 수 있는 수에 모두 ○표 하세요.

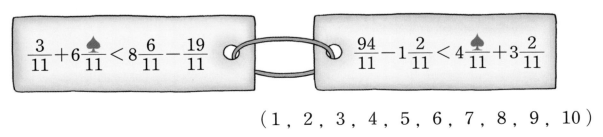

$$\frac{3}{11}+6\frac{♠}{11}<8\frac{6}{11}-\frac{19}{11} \qquad \frac{94}{11}-1\frac{2}{11}<4\frac{♠}{11}+3\frac{2}{11}$$

(1 , 2 , 3 , 4 , 5 , 6 , 7 , 8 , 9 , 10)

2 삼각형

✿ 삼각형 분류하기 (1) → 변의 길이에 따라 분류하기

- 이등변삼각형: 두 변의 길이가 같은 삼각형

- 정삼각형: 세 변의 길이가 같은 삼각형

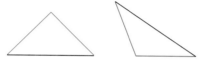

참고 ① 정삼각형은 두 변의 길이가 같으므로 이등변삼각형이라고 할 수 있습니다.
② 이등변삼각형은 세 변의 길이가 항상 같은 것은 아니므로 정삼각형이라고 할 수 없습니다.

✿ 이등변삼각형의 성질

① 두 변의 길이가 같습니다.
② 길이가 같은 두 변에 있는 두 각의 크기가 같습니다.

✿ 정삼각형의 성질

① 세 변의 길이가 같습니다.
② 세 각의 크기가 같습니다.
③ 세 각의 크기는 모두 60°입니다.

✿ 삼각형 분류하기 (2) → 각의 크기에 따라 분류하기

- 예각삼각형: 세 각이 모두 예각인 삼각형

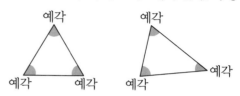

- 둔각삼각형: 한 각이 둔각인 삼각형

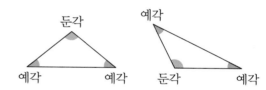

참고 직각삼각형은 한 각이 직각인 삼각형입니다.

✿ 삼각형을 두 가지 기준으로 분류하기

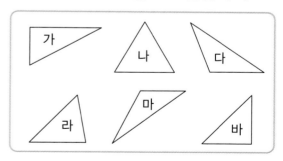

	예각삼각형	직각삼각형	둔각삼각형
이등변삼각형	나	바	다
세 변의 길이가 모두 다른 삼각형	라	가	마

1 삼각형의 일부가 가려졌습니다. 이 삼각형의 이름을 알아보려고 할 때, 물음에 답하세요.

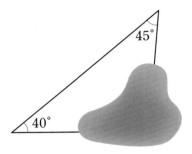

❶ 가려진 부분에 있는 각의 크기는 몇 도인지 구해 보세요.

(   )

❷ 빈칸에 가려진 부분에 있는 각의 크기를 써넣고, 삼각형의 세 각이 예각, 직각, 둔각 중에서 어느 것인지 각각 써 보세요.

45°	40°	
( )	( )	( )

❸ 이 삼각형의 이름을 써 보세요.

(   )

2 삼각형의 일부가 가려졌습니다. 이 삼각형의 이름을 모두 찾아 기호를 써 보세요.

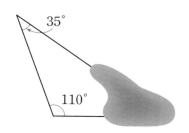

⊙ 정삼각형
ⓛ 이등변삼각형
ⓒ 예각삼각형
ⓔ 둔각삼각형

(   )

3 두 각의 크기가 다음과 같은 삼각형의 이름을 모두 써 보세요.

70°, 55°

(,   )

4 민현이와 유정이가 각각 그린 삼각형의 세 각의 크기를 나타낸 것입니다. 같은 모양은 같은 수를 나타낼 때, 유정이가 그린 삼각형의 이름을 써 보세요.

(   )

1 다음과 같이 정사각형 모양의 색종이를 반으로 접고 선을 그은 후, 선을 따라 잘랐습니다. 잘라낸 삼각형을 펼쳤을 때, 펼친 삼각형의 세 변의 길이의 합은 몇 cm인지 구하려고 합니다. 물음에 답하세요.

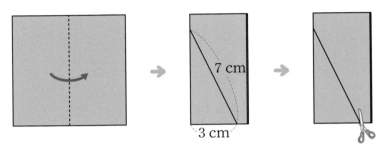

① 펼친 삼각형은 어떤 삼각형인지 알맞은 것에 ○표 하세요.

(정삼각형 , 이등변삼각형 , 세 변의 길이가 모두 다른 삼각형)

② 잘라낸 삼각형을 펼쳤을 때, ☐ 안에 알맞은 수를 써넣으세요.

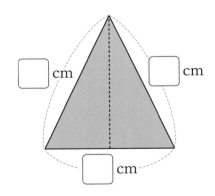

③ 펼친 삼각형의 세 변의 길이의 합은 몇 cm일까요?

(   )

2 다음과 같이 직사각형 모양의 색종이를 반으로 접고 선을 그은 후, 선을 따라 잘랐습니다. 잘라낸 삼각형을 펼쳤을 때, 펼친 삼각형의 세 변의 길이의 합은 몇 cm인지 구해 보세요.

(1)

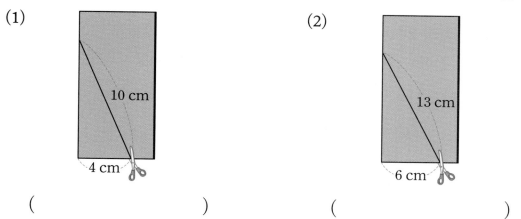

10 cm

4 cm

(　　　　　　　　)

(2)

13 cm

6 cm

(　　　　　　　　)

3 다음과 같이 직사각형 모양의 색종이를 반으로 접고 선을 그은 후, 선을 따라 잘랐습니다. 잘라낸 삼각형을 펼쳤을 때, 펼친 삼각형의 세 변의 길이의 합은 몇 cm인지 구해 보세요.

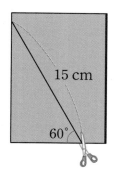

15 cm

60°

(　　　　　　　　)

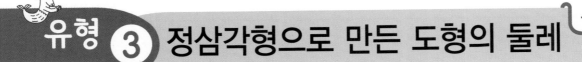

유형 **3** **정삼각형으로 만든 도형의 둘레** 문제 해결

1 세 변의 길이의 합이 24 cm인 정삼각형 모양 타일 5개를 그림과 같이 이어 붙였습니다. 빨간 선의 길이는 몇 cm인지 구하려고 할 때, 물음에 답하세요.

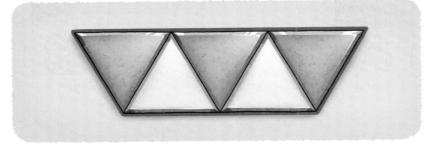

❶ 정삼각형 모양 타일의 한 변의 길이는 몇 cm일까요?

( )

❷ 빨간 선의 길이는 정삼각형 모양 타일의 한 변의 길이의 몇 배일까요?

( )

❸ 빨간 선의 길이는 몇 cm일까요?

( )

2 세 변의 길이의 합이 30 cm인 정삼각형 8개를 변끼리 이어 붙여 만든 도형입니다. 이 도형의 둘레는 몇 cm인지 구해 보세요.

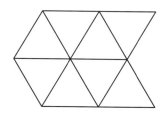

(   )

3 세 변의 길이의 합이 33 cm인 정삼각형 10개를 변끼리 이어 붙여 만든 도형입니다. 이 도형의 둘레는 몇 cm인지 구해 보세요.

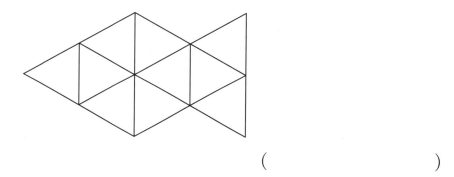

(   )

4 한 변의 길이가 5 m인 정삼각형을 다음과 같은 규칙으로 변끼리 이어 붙여서 만든 다리입니다. 정삼각형 10개를 이어 붙인 도형의 둘레는 몇 m인지 구해 보세요.

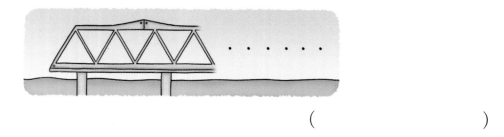

(   )

1 승아는 길이가 같은 성냥개비로 그림과 같은 모양을 만들었습니다. 모양에서 찾을 수 있는 크고 작은 정삼각형은 모두 몇 개인지 구하려고 합니다. 물음에 답하세요.

찾을 수 있는 크고 작은 정삼각형은 모두 몇 개일까?

❶ 위의 모양에서 찾을 수 있는 정삼각형을 모두 찾아 ○표 하세요.

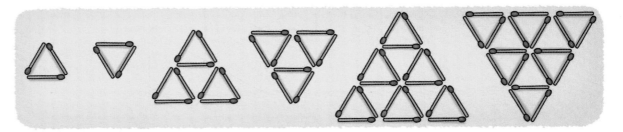

❷ 위의 모양에서 찾을 수 있는 정삼각형의 수를 □ 안에 알맞게 써넣으세요.

작은 정삼각형 1개짜리 ➡ □개, 작은 정삼각형 4개짜리 ➡ □개

❸ 찾을 수 있는 크고 작은 정삼각형은 모두 몇 개일까요?

( )

2 도형에서 찾을 수 있는 크고 작은 예각삼각형은 모두 몇 개일까요?

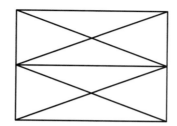

(   )

3 도형에서 찾을 수 있는 크고 작은 정삼각형은 모두 몇 개일까요?

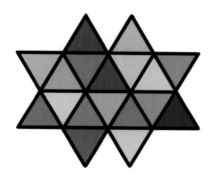

(   )

4 도형에서 찾을 수 있는 크고 작은 둔각삼각형은 모두 몇 개일까요?

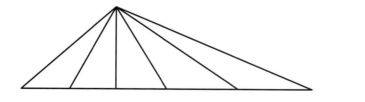

(   )

유형 ⑤ 사각형의 네 변의 길이의 합 ⌐문제 해결⌐

1 삼각형 ㄱㄴㄷ은 정삼각형이고 삼각형 ㄱㄷㄹ은 이등변삼각형입니다. 사각형 ㄱㄴㄷㄹ의 네 변의 길이의 합은 몇 cm인지 구하려고 합니다. 물음에 답하세요.

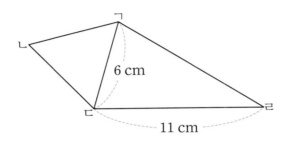

❶ 변 ㄱㄴ과 변 ㄴㄷ의 길이는 각각 몇 cm일까요?

변 ㄱㄴ (   )

변 ㄴㄷ (   )

❷ 변 ㄱㄹ의 길이는 몇 cm일까요?

(   )

❸ 사각형 ㄱㄴㄷㄹ의 네 변의 길이의 합은 몇 cm일까요?

(   )

2 삼각형 ㄱㄴㄷ은 정삼각형이고 삼각형 ㄱㄷㄹ은 이등변삼각형입니다. 사각형 ㄱㄴㄷㄹ의 네 변의 길이의 합이 46 cm일 때 변 ㄱㄹ의 길이는 몇 cm일까요?

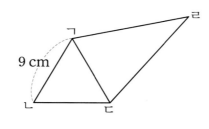

(   )

3 삼각형 ㄱㄴㄷ은 이등변삼각형이고 삼각형 ㄱㄷㄹ은 정삼각형입니다. 삼각형 ㄱㄷㄹ의 세 변의 길이의 합이 30 cm일 때 사각형 ㄱㄴㄷㄹ의 네 변의 길이의 합은 몇 cm일까요?

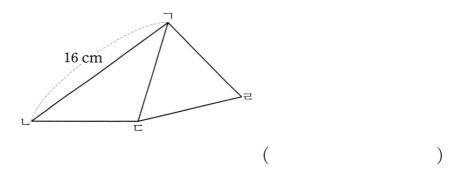

(   )

4 삼각형 ㄱㄴㄷ은 이등변삼각형이고 삼각형 ㄱㄷㄹ은 정삼각형입니다. 삼각형 ㄱㄴㄷ의 세 변의 길이의 합이 38 cm일 때 사각형 ㄱㄴㄷㄹ의 네 변의 길이의 합은 몇 cm일까요?

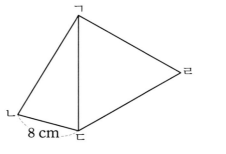

(   )

1 삼각형 ㄱㄴㄹ은 정삼각형이고 삼각형 ㄴㄷㄹ은 이등변삼각형입니다. 각 ㄱㄴㄷ의 크기를 구하려고 할 때, 물음에 답하세요.

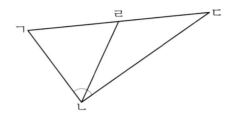

❶ 각 ㄱㄹㄴ의 크기는 몇 도일까요?

( )

❷ 각 ㄴㄹㄷ의 크기는 몇 도일까요?

( )

❸ 각 ㄹㄴㄷ의 크기는 몇 도일까요?

( )

❹ 각 ㄱㄴㄷ의 크기는 몇 도일까요?

( )

2 삼각형 ㄱㄴㄷ은 이등변삼각형입니다. 각 ㄱㄴㄹ의 크기를 구해 보세요.

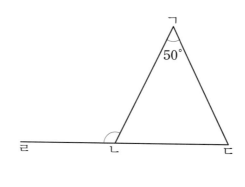

(   )

3 삼각형 ㄱㄴㄷ은 정삼각형이고 삼각형 ㄱㄷㄹ은 이등변삼각형입니다. 각 ㄹㄱㄴ의 크기를 구해 보세요.

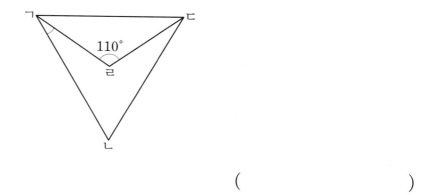

(   )

4 삼각형 ㄱㄴㄷ과 삼각형 ㄱㄷㄹ은 이등변삼각형입니다. 각 ㄴㄱㄹ의 크기를 구해 보세요.

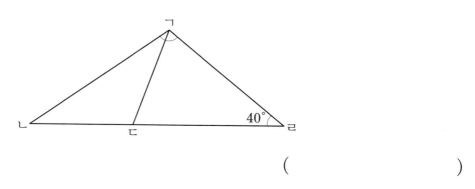

(   )

1 똑같은 정삼각형 2개를 변끼리 이어 붙여 사각형을 만들었습니다. 이 사각형의 네 변의 길이의 합은 몇 cm일까요?

(   )

2 그림과 같이 오각형의 꼭짓점을 이으면 예각삼각형과 둔각삼각형은 각각 몇 개 생기는지 구해 보세요.

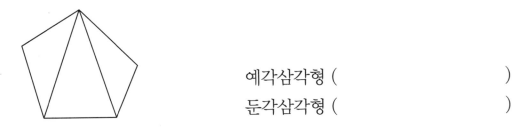

예각삼각형 (   )
둔각삼각형 (   )

3 삼각형 모양인 천의 일부가 찢어졌습니다. 찢어지기 전 천의 모양은 예각삼각형, 직각삼 각형, 둔각삼각형 중 어떤 삼각형이었는지 써 보세요.

(   )

4 점 ㄱ과 점 ㄴ은 각각 원의 중심입니다. 삼각형 ㄱㄴㄷ의 이름이 될 수 있는 것에 모두 ○표 하세요.

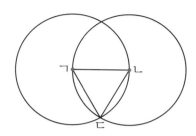

| 이등변삼각형 | 정삼각형 |
| 예각삼각형 | 직각삼각형 | 둔각삼각형 |

5 똑같은 정삼각형 10개를 변끼리 이어 붙여 만든 도형입니다. 이 도형의 둘레가 60 cm일 때 정삼각형의 세 변의 길이의 합은 몇 cm일까요?

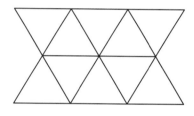

(   )

6 다음과 같이 직사각형 모양의 색종이를 반으로 접고 선을 그은 후, 선을 따라 잘랐습니다. ㉠은 몇 cm인지 구해 보세요.

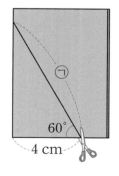

(   )

7 유상이는 같은 길이의 실 2개로 각각 이등변삼각형과 정삼각형을 만들려고 합니다. 정삼각형의 한 변의 길이는 몇 cm로 해야 할까요?

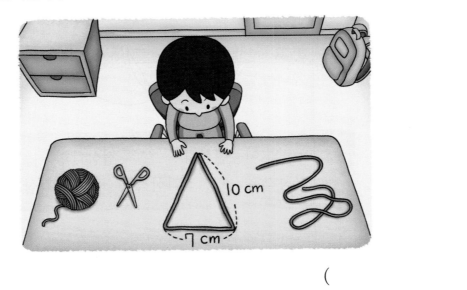

( )

8 도형에서 찾을 수 있는 크고 작은 둔각삼각형은 모두 몇 개일까요?

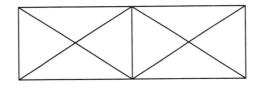

( )

9 삼각형 ㄱㄴㄷ은 이등변삼각형입니다. 각 ㄱㄴㄹ의 크기를 구해 보세요.

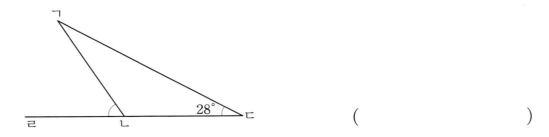

( )

10 다음과 같은 수수깡 3개를 각 변으로 하여 만들 수 있는 삼각형의 이름을 모두 써 보세요.

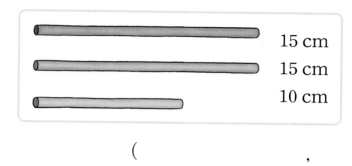

15 cm
15 cm
10 cm

(,   )

2 단원

11 칠교판에서 찾을 수 있는 크고 작은 이등변삼각형은 모두 몇 개일까요?

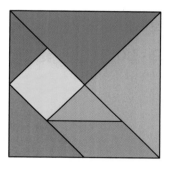

(   )

12 삼각형 ㄱㄴㄷ은 정삼각형이고 삼각형 ㄱㄷㄹ은 이등변삼각형입니다. 삼각형 ㄱㄴㄷ의 세 변의 길이의 합이 33 cm일 때 사각형 ㄱㄴㄷㄹ의 네 변의 길이의 합은 몇 cm일까요?

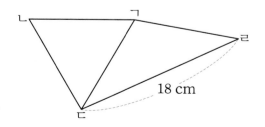

18 cm

(   )

13 삼각형 ㄱㄴㄷ은 이등변삼각형이고 삼각형 ㄷㄹㅁ은 정삼각형입니다. 각 ㄱㄷㅁ의 크기를 구해 보세요.

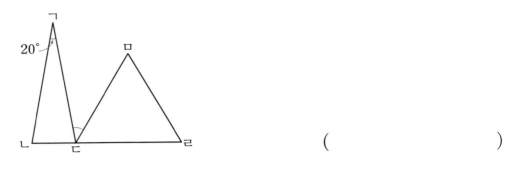

(   )

14 삼각형 ㄱㄴㄷ과 삼각형 ㄱㄹㅁ은 정삼각형입니다. 선분 ㄴㄹ의 길이는 선분 ㄱㄴ의 길이의 2배일 때 사각형 ㄴㄹㅁㄷ의 네 변의 길이의 합은 몇 cm일까요?

(   )

15 삼각형 ㄱㄴㄷ과 삼각형 ㄱㄷㄹ은 이등변삼각형입니다. 각 ㄴㄱㄹ의 크기를 구해 보세요.

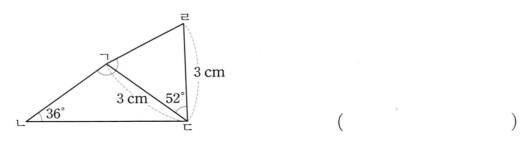

(   )

3 소수의 덧셈과 뺄셈

✿ 소수 두 자리 수, 소수 세 자리 수

$$\frac{1}{100}=0.01\text{(영 점 영일)}$$

$$\frac{1}{1000}=0.001\text{(영 점 영영일)}$$

0.435에서
4는 소수 첫째 자리 숫자이고 0.4를,
3은 소수 둘째 자리 숫자이고 0.03을,
5는 소수 셋째 자리 숫자이고 0.005를
나타냅니다.

✿ 소수의 크기 비교

① 자연수 부분을 비교합니다.
② 자연수 부분이 같으면 소수 첫째 자리 수를 비교합니다.
③ 소수 첫째 자리 수까지 같다면 소수 둘째 자리 수를 비교하고, 소수 둘째 자리 수까지 같다면 소수 셋째 자리 수를 비교합니다.

$$6.382 < 6.384$$
$$2 < 4$$
소수 셋째 자리 수를 비교합니다.

참고 필요한 경우 소수의 오른쪽 끝자리에 0을 붙여서 나타낼 수 있습니다.

$$0.6 = 0.60$$

✿ 소수 사이의 관계

• 소수를 10배 하면 소수점을 기준으로 수가 왼쪽으로 한 자리씩 이동합니다.
• 소수의 $\frac{1}{10}$ 을 구하면 소수점을 기준으로 수가 오른쪽으로 한 자리씩 이동합니다.

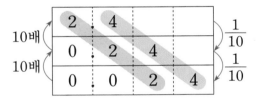

✿ 소수의 덧셈과 뺄셈

소수점을 맞추어 세로로 쓰고 같은 자리 수끼리 계산합니다.

① 소수의 덧셈

$$
\begin{array}{r}
0.65 \\
+\,0.78 \\
\end{array}
\;\rightarrow\;
\begin{array}{r}
0.65 \\
+\,0.78 \\
\hline
3 \\
\end{array}
\;\rightarrow\;
\begin{array}{r}
{}^{1}\;{}^{1} \\
0.65 \\
+\,0.78 \\
\hline
1.43 \\
\end{array}
$$

소수점을 찍습니다.

② 소수의 뺄셈

0.3의 오른쪽 끝자리에 0을 붙여서 나타냅니다.

$$
\begin{array}{r}
0.30 \\
-\,0.17 \\
\end{array}
\;\rightarrow\;
\begin{array}{r}
{}^{2}\,{}^{10} \\
0.\cancel{3}0 \\
-\,0.17 \\
\hline
3 \\
\end{array}
\;\rightarrow\;
\begin{array}{r}
{}^{2} \\
0.\cancel{3}0 \\
-\,0.17 \\
\hline
0.13 \\
\end{array}
$$

소수점을 찍습니다.

유형 ① 초기에 사용했던 소수의 모양 창의·융합

1 네덜란드의 수학자 시몬 스테빈은 계산을 좀더 쉽게 하기 위해 고민하던 중 소수를 만들었습니다. 스테빈은 다음과 같이 소수점은 ◎으로, 소수 첫째 자리는 ①, 둘째 자리는 ②, 셋째 자리는 ③으로 나타내었습니다.

예 4.519 ➡ 4◎5①1②9③

스테빈의 방법으로 나타낸 수를 보고 현재의 소수로 나타내려고 합니다. 물음에 답 하세요.

❶

4◎5①2②

(   )

❷ 3◎9①3②6③

(   )

❸ 6◎2①1②8③

(   )

2 2◎5①1②3③의 10배인 수를 구하려고 합니다. 빈칸에 알맞은 수를 써넣으세요.

스테빈의 방법으로 나타낸 소수	현재의 소수
2◎5①1②3③	
2◎5①1②3③의 10배	

)10배

3 7◎2②4③의 100배인 수를 현재의 소수로 써 보세요.

(   )

4 6◎2①2②의 $\frac{1}{10}$인 수는 어떤 수인지 현재의 소수로 써 보세요.

(   )

유형 2 잘못 계산한 식에서 어떤 수 구하기

1 어떤 수에서 4.59를 빼야 할 것을 잘못하여 더했더니 10.42가 되었습니다. 바르게 계산한 값과 잘못 계산한 값의 차를 구하려고 합니다. 물음에 답하세요.

❶ 어떤 수를 □로 하여 잘못 계산한 식을 써 보세요.

식 _____

❷ 어떤 수를 구해 보세요.

( )

❸ 바르게 계산한 값을 구해 보세요.

( )

❹ 바르게 계산한 값과 잘못 계산한 값의 차를 구해 보세요.

( )

2 어떤 수에 3.76을 더했더니 5.85가 되었습니다. 어떤 수를 구해 보세요.

$$\square + 3.76 = 5.85$$

(   )

3
단원

3 어떤 수에 2.5를 더해야 할 것을 잘못하여 뺐더니 8.9가 되었습니다. 바르게 계산한 값을 구해 보세요.

(   )

4 어떤 수의 $\frac{1}{10}$을 구해야 하는데 잘못하여 $\frac{1}{100}$을 구했더니 4.79가 되었습니다. 바르게 계산한 값을 구해 보세요.

(   )

1 색 테이프 3장을 다음과 같이 겹치는 부분의 길이가 같도록 길게 이어 붙였습니다. 이어 붙여서 만든 색 테이프의 전체 길이는 몇 cm인지 구하려고 합니다. 물음에 답하세요.

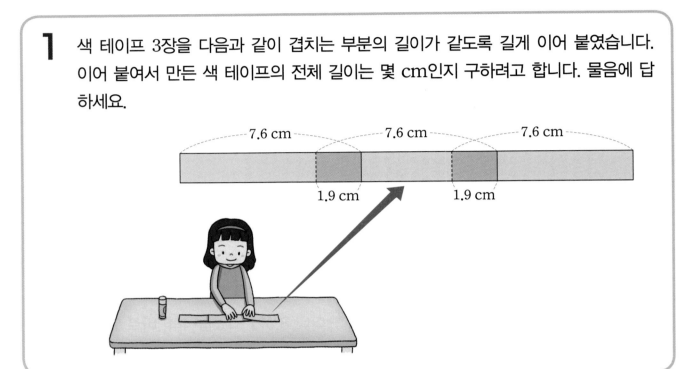

❶ 색 테이프 3장의 길이의 합은 몇 cm일까요?

( )

❷ 겹쳐져 있는 두 부분의 길이의 합은 몇 cm일까요?

( )

❸ 이어 붙여서 만든 색 테이프의 전체 길이는 몇 cm일까요?

( )

2 ○에서 ©까지의 거리는 몇 km인지 구해 보세요.

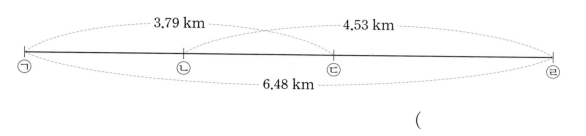

( )

3 다음은 공원의 지도입니다. 정자에서 숲까지의 거리는 몇 km인지 구해 보세요.

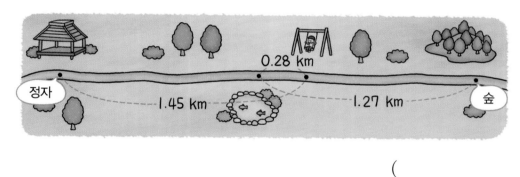

( )

4 색 테이프 3장을 다음과 같이 겹치게 이어 붙였습니다. 이어 붙인 색 테이프 전체 길이는 몇 cm인지 구해 보세요.

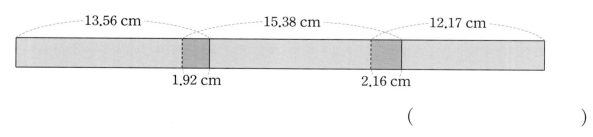

( )

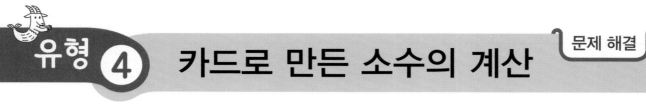

유형 ④ 카드로 만든 소수의 계산 문제 해결

1 카드를 한 번씩 모두 사용하여 소수 두 자리 수를 만들 때 만들 수 있는 가장 큰 수와 가장 작은 수의 합을 구하려고 합니다. 물음에 답하세요.

5 2 7 4 .

❶ 만들 수 있는 가장 큰 소수 두 자리 수를 구해 보세요.

( )

❷ 만들 수 있는 가장 작은 소수 두 자리 수를 구해 보세요.

( )

❸ 만들 수 있는 가장 큰 소수 두 자리 수와 가장 작은 소수 두 자리 수의 합을 구해 보세요.

( )

2 카드를 한 번씩 모두 사용하여 소수 두 자리 수를 만들려고 합니다. 만들 수 있는 가장 큰 수와 가장 작은 수의 합을 구해 보세요.

$$\boxed{3} \quad \boxed{4} \quad \boxed{7} \quad \boxed{.}$$

(   )

3 카드를 한 번씩 모두 사용하여 소수 두 자리 수를 만들려고 합니다. 만들 수 있는 가장 큰 수와 가장 작은 수의 차를 구해 보세요.

$$\boxed{2} \quad \boxed{4} \quad \boxed{5} \quad \boxed{9} \quad \boxed{.}$$

(   )

4 카드를 한 번씩 모두 사용하여 가장 큰 소수 두 자리 수와 가장 작은 소수 세 자리 수를 동시에 만들려고 합니다. 두 수의 합을 구해 보세요.

$$\boxed{1} \quad \boxed{6} \quad \boxed{0} \quad \boxed{2} \quad \boxed{9} \quad \boxed{4} \quad \boxed{7} \quad \boxed{.} \quad \boxed{.}$$

(   )

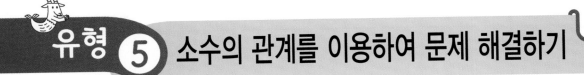
1 ㉠, ㉡, ㉢에 알맞은 수의 합을 구하려고 합니다. 물음에 답하세요.

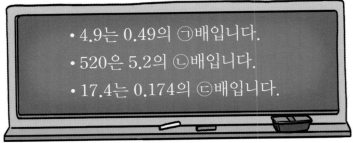

- 4.9는 0.49의 ㉠배입니다.
- 520은 5.2의 ㉡배입니다.
- 17.4는 0.174의 ㉢배입니다.

❶ ㉠에 알맞은 수를 구해 보세요.

( )

❷ ㉡에 알맞은 수를 구해 보세요.

( )

❸ ㉢에 알맞은 수를 구해 보세요.

( )

❹ ㉠, ㉡, ㉢에 알맞은 수의 합을 구해 보세요.

( )

2 ㉠이 나타내는 수는 ㉡이 나타내는 수의 몇 배인지 구해 보세요.

(　　　　　　　)

3 용빈이가 말하는 수와 지호가 말하는 수의 합을 구해 보세요.

(　　　　　　　)

1 조건을 모두 만족하는 수를 구하려고 합니다. 물음에 답하세요.

조건
- 소수 세 자리 수입니다.
- 2보다 크고 3보다 작습니다.
- 일의 자리 수와 소수 첫째 자리 수의 합은 6입니다.
- 소수 둘째 자리 숫자는 0입니다.
- 소수 셋째 자리 숫자는 가장 작은 홀수입니다.

❶ 일의 자리 수를 구해 보세요.

(   )

❷ 소수 첫째 자리 수를 구해 보세요.

(   )

❸ 소수 셋째 자리 수를 구해 보세요.

(   )

❹ 조건을 모두 만족하는 수를 구해 보세요.

(   )

2 조건을 모두 만족하는 수를 구해 보세요.

> **조건**
> • 소수 두 자리 수입니다.
> • 7보다 크고 8보다 작습니다.
> • 소수 첫째 자리 숫자는 3입니다.
> • 소수 둘째 자리 숫자는 5입니다.

(   )

3 조건을 모두 만족하는 수를 구해 보세요.

> **조건**
> • 소수 세 자리 수입니다.
> • 4보다 크고 5보다 작습니다.
> • 소수 첫째 자리 숫자는 7입니다.
> • 소수 둘째 자리 숫자는 일의 자리 수보다 2만큼 더 작습니다.
> • 소수 셋째 자리 숫자는 일의 자리 숫자와 같습니다.

(   )

1 스테빈의 방법으로 소수를 나타낸 것입니다. 이 소수의 100배인 수를 현재의 소수로 나타내어 보세요.

7◎2①9②3③

(   )

2 다음 삼각형의 세 변의 길이의 합이 5.27 m일 때 ☐ 안에 알맞은 수를 구해 보세요.

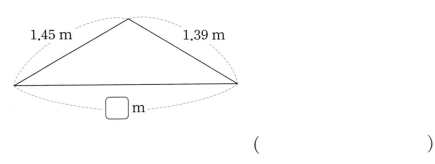

1.45 m   1.39 m

☐ m

(   )

3 어떤 수에서 5.94를 빼야 할 것을 잘못하여 더했더니 12.76이 되었습니다. 바르게 계산한 값을 구해 보세요.

(   )

4 4장의 카드를 한 번씩 모두 사용하여 소수를 만들려고 합니다. 만들 수 있는 가장 큰 소수 한 자리 수와 가장 작은 소수 두 자리 수의 합을 구해 보세요.

(   )

5 ㉠이 나타내는 수는 ㉡이 나타내는 수의 몇 배인지 구해 보세요.

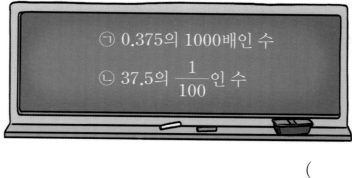

(   )

6 ㉠에서 ㉣까지의 거리는 몇 km인지 구해 보세요.

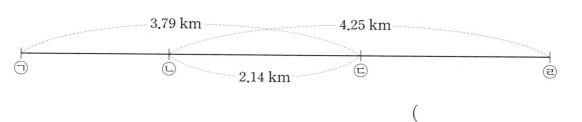

(   )

7 □ 안에 알맞은 수를 써넣으세요.

$$
\begin{array}{r}
6\ .\ 2\ \boxed{} \\
-\ 2\ .\ \boxed{}\ 6 \\
\hline
\boxed{}\ .\ 5\ 9
\end{array}
$$

8 색 테이프 3장을 다음과 같이 겹치는 부분의 길이가 같도록 길게 이어 붙였습니다. 이어 붙여서 만든 색 테이프의 전체 길이는 몇 cm인지 구해 보세요.

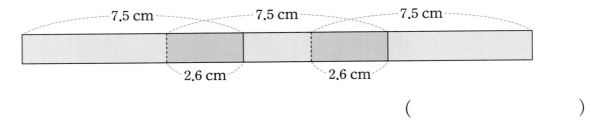

(   )

9 주영이는 엄마와 함께 농장에서 고구마를 캤습니다. 주영이는 고구마를 2.37 kg 캤고, 엄마는 주영이보다 1.75 kg 더 많이 캤습니다. 주영이와 엄마가 캔 고구마는 모두 몇 kg일까요?

(   )

10 0부터 9까지의 수 중에서 ☐ 안에 들어갈 수 있는 수는 모두 몇 개인지 구해 보세요.

$$2.43 - 1.57 > 0.8\boxed{}9$$

(   )

11 ㉠에 알맞은 수를 구해 보세요.

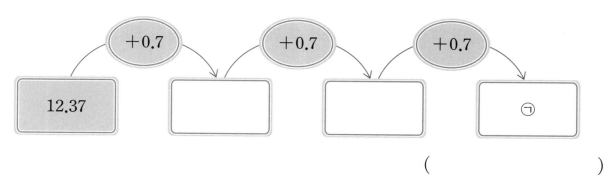

(   )

12 ㉠이 나타내는 수는 ㉡이 나타내는 수의 몇 배일까요?

$$\underset{\text{㉠ ㉡}}{15.457}$$

(   )

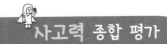
사고력 종합 평가

13 조건을 모두 만족하는 소수 세 자리 수를 구해 보세요.

> **조건**
> • 6보다 크고 7보다 작습니다.
> • 소수 첫째 자리 수는 5입니다. • 소수 둘째 자리 수는 2입니다.
> • 소수 셋째 자리 수는 3으로 나누어떨어지는 수 중 가장 큰 한 자리 수입니다.

(   )

14 직사각형 모양의 액자 테두리를 따라 색 테이프를 붙이려고 합니다. 색 테이프는 적어도 몇 m 필요한지 구해 보세요.

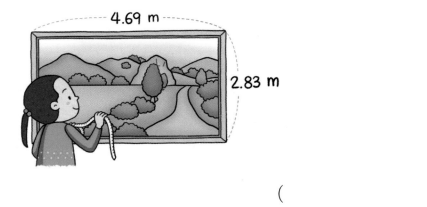

4.69 m

2.83 m

(   )

15 수직선에서 ㉠과 ㉡이 나타내는 수의 합을 구해 보세요.

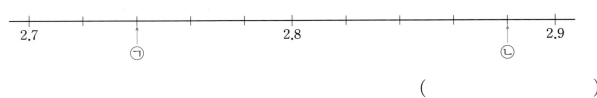

2.7   ㉠   2.8   ㉡   2.9

(   )

사각형

✿ 수직

- 두 직선이 만나서 이루는 각이 직각일 때, 두 직선은 서로 수직이라고 합니다.
- 두 직선이 서로 수직으로 만났을 때, 한 직선을 다른 직선에 대한 수선이라고 합니다.

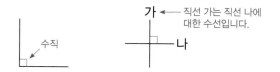

✿ 평행

- 한 직선에 수직인 두 직선을 그었을 때, 그 두 직선은 서로 만나지 않습니다. 이와 같이 서로 만나지 않는 두 직선을 평행하다고 합니다.
- 이때 평행한 두 직선을 평행선이라고 합니다.

✿ 평행선 사이의 거리

- 평행선의 한 직선에서 다른 직선에 수선을 그었을 때 이 수선의 길이를 평행선 사이의 거리라고 합니다.

✿ 사다리꼴, 평행사변형, 마름모

- 사다리꼴: 평행한 변이 한 쌍이라도 있는 사각형
- 평행사변형: 마주 보는 두 쌍의 변이 서로 평행한 사각형
- 마름모: 네 변의 길이가 모두 같은 사각형

✿ 여러 가지 사각형의 관계

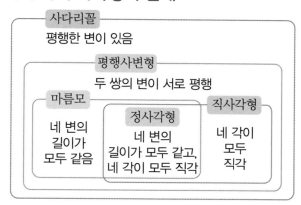

✿ 사각형 분류하기

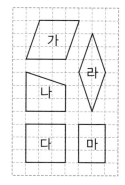

사다리꼴	가, 나, 다, 라, 마
평행사변형	가, 다, 라, 마
마름모	다, 라
직사각형	다, 마
정사각형	다

문제 해결

1 세 직선 가, 나, 다는 서로 평행합니다. 직선 가와 직선 다 사이의 거리를 구하려고 합니다. 물음에 답하세요.

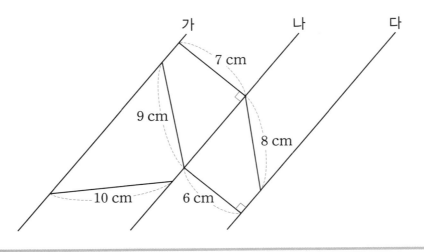

❶ 직선 가와 직선 나 사이의 거리는 몇 cm일까요?

(   )

❷ 직선 나와 직선 다 사이의 거리는 몇 cm일까요?

(   )

❸ 직선 가와 직선 다 사이의 거리는 몇 cm일까요?

(   )

2 세 직선 가, 나, 다는 서로 평행합니다. 직선 가와 직선 다 사이의 거리를 구해 보세요.

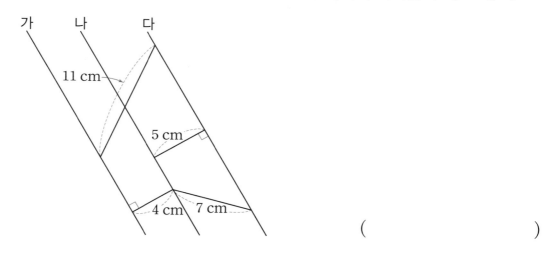

(   )

3 네 직선 가, 나, 다, 라는 서로 평행합니다. 직선 가와 직선 라 사이의 거리를 구해 보세요.

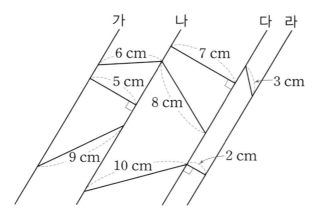

(   )

1 마름모 모양의 컵 받침 4개를 그림과 같이 이어 붙였습니다. 이어 붙인 컵 받침의 *둘레는 몇 cm인지 구하려고 합니다. 물음에 답하세요. *둘레: 사물의 가장자리를 한 바퀴 돈 길이

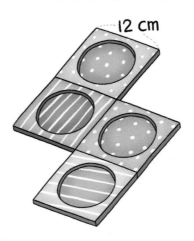

❶ □ 안에 알맞은 말을 써넣으세요.

마름모는 네 변의 길이가 모두 [   ].

❷ 이어 붙인 컵 받침의 둘레는 컵 받침 한 변의 길이를 몇 번 더한 길이와 같을까요?

(   )

❸ 이어 붙인 컵 받침의 둘레는 cm일까요?

(   )

2 정사각형과 마름모를 이어 붙여 만든 도형입니다. 도형의 둘레는 몇 cm인지 구해 보세요.

(   )

3 모양과 크기가 같은 평행사변형 2개를 이어 붙여 만든 도형입니다. 도형의 둘레는 몇 cm 인지 구해 보세요.

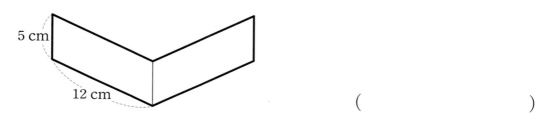

(   )

4 모양과 크기가 같은 직사각형 3개를 이어 붙여 만든 도형입니다. 도형의 둘레는 직사각형 의 가로와 세로를 각각 몇 번씩 더한 길이와 같은지 구해 보세요.

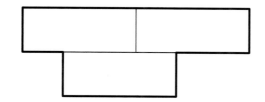

도형의 둘레는 직사각형의 가로를 ☐번, 세로를 ☐번 더한 길이와 같습니다.

준비물 ◀ 칠교판

1 칠교판을 이용하여 여러 가지 사각형을 만들려고 합니다. 물음에 답하세요.

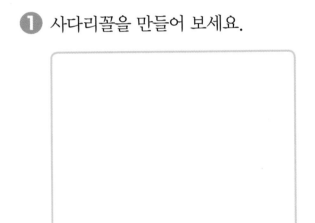

❶ 사다리꼴을 만들어 보세요.

❷ 평행사변형을 만들어 보세요.

❸ 직사각형을 만들어 보세요.

❹ 정사각형을 만들어 보세요.

[2~3] 칠교판을 이용하여 여러 가지 사각형을 만들려고 합니다. 물음에 답하세요.

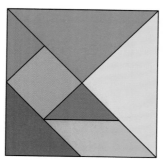

2 칠교판을 이용하여 사다리꼴을 2가지 만들어 보세요.

4

단원

3 주어진 수의 칠교판 조각을 이용하여 여러 가지 사각형을 만들어 보세요.

(1) 7조각으로 직사각형 만들기

(2) 4조각으로 정사각형 만들기

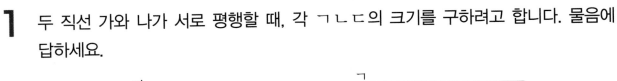

유형 **4** 수선을 이용하여 각도 구하기   문제 해결

1 두 직선 가와 나가 서로 평행할 때, 각 ㄱㄴㄷ의 크기를 구하려고 합니다. 물음에 답하세요.

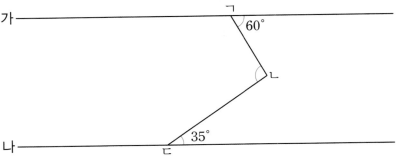

① 직선 나 위의 점 ㄷ에서 직선 가에 수선을 그었을 때 만나는 점을 점 ㄹ로 표시해 보세요.

② 각 ㄹㄷㄴ의 크기를 구해 보세요.

(   )

③ 각 ㄹㄱㄴ의 크기를 구해 보세요.

(   )

④ 각 ㄱㄴㄷ의 크기를 구해 보세요.

(   )

2 그림에서 직선 ㄱㄹ은 직선 ㄷㅂ에 대한 수선입니다. 각 ㄹㅇㅁ의 크기를 구해 보세요.

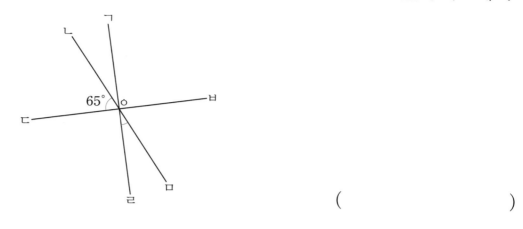

(   )

3 직선 가와 직선 나는 서로 평행합니다. 직선 나 위의 점 ㄷ에서 직선 가에 수선을 그어 각 ㄱㄴㄷ의 크기를 구해 보세요.

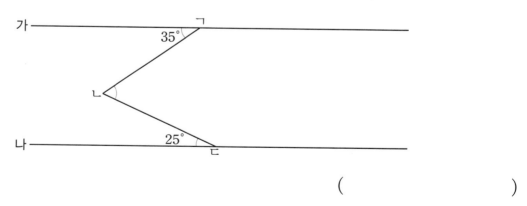

(   )

유형 ⑤ 종이띠 위의 각도 구하기 추론

1 모양과 크기가 같은 직사각형 모양의 종이띠 2장을 겹쳐 놓은 것입니다. 겹쳐진 부분은 한 각의 크기가 115°인 평행사변형입니다. 종이띠에 표시된 각 중에서 크기가 115°인 각은 모두 몇 개인지 구하려고 합니다. 물음에 답하세요.

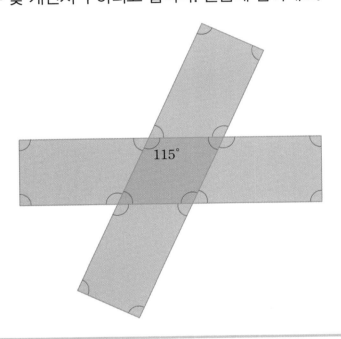

❶ 종이띠의 겹쳐진 부분입니다. ☐ 안에 알맞은 수를 써넣으세요.

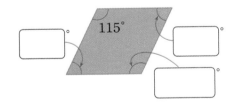

❷ 종이띠에 표시된 각의 크기를 모두 써 보세요.

❸ 종이띠에 표시된 각 중에서 크기가 115°인 각은 모두 몇 개일까요?

( )

2 모양과 크기가 같은 직사각형 모양의 종이띠 2장을 겹쳐 놓은 것입니다. 종이띠에 표시된 각의 크기를 모두 써 보세요.

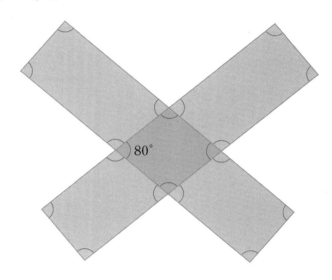

3 모양과 크기가 같은 직사각형 모양의 종이띠 2장을 겹쳐 놓은 것입니다. 종이띠에 표시된 각 중에서 ㉠과 크기가 같은 각을 모두 찾아 ☐ 안에 기호를 써넣으세요.

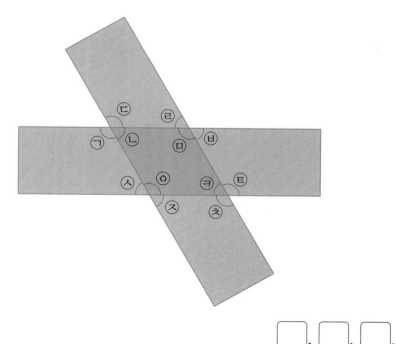

☐ , ☐ , ☐ , ☐ , ☐

1 오른쪽과 같이 6칸으로 나누어진 직사각형 모양의 3단 책장이 있습니다. 책장에서 찾을 수 있는 크고 작은 직사각형은 모두 몇 개인지 구하려고 합니다. 물음에 답하세요.

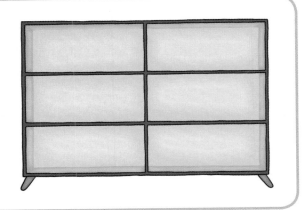

❶ 작은 사각형 1개짜리 직사각형은 모두 몇 개 찾을 수 있을까요?

(   )

❷ 작은 사각형 2개짜리 직사각형은 모두 몇 개 찾을 수 있을까요?

(   )

❸ 작은 사각형 3개짜리 직사각형은 모두 몇 개 찾을 수 있을까요?

(   )

❹ 작은 사각형 4개짜리 직사각형은 모두 몇 개 찾을 수 있을까요?

(   )

❺ 작은 사각형 6개짜리 직사각형은 모두 몇 개 찾을 수 있을까요?

(   )

❻ 크고 작은 직사각형은 모두 몇 개 찾을 수 있을까요?

(   )

2 그림에서 찾을 수 있는 크고 작은 평행사변형은 모두 몇 개인지 구해 보세요.

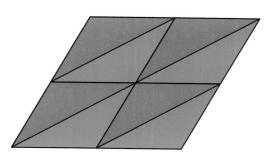

(   )

3 그림에서 찾을 수 있는 크고 작은 정사각형은 모두 몇 개인지 구해 보세요.

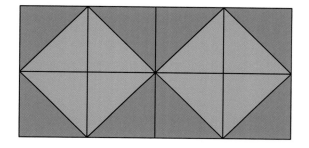

(   )

4 그림에서 찾을 수 있는 크고 작은 직사각형은 모두 몇 개인지 구해 보세요.

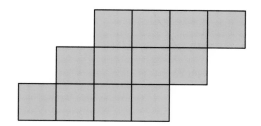

(   )

1 칠교판을 이용하여 여러 가지 사각형을 만들고 사각형의 이름을 써 보세요.

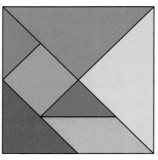

(1)

(   )

(2)

(   )

2 세 직선 가, 나, 다는 서로 평행합니다. 직선 가와 직선 다 사이의 거리는 몇 cm일까요?

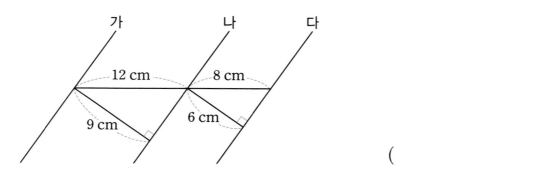

(   )

3 마름모와 정사각형의 변을 이어 붙여 만든 도형입니다. ㉠의 각도를 구해 보세요.

(   )

4 모양과 크기가 같은 직사각형 모양의 종이띠 2장을 겹쳐 놓은 것입니다. ㉠의 각도를 구해 보세요.

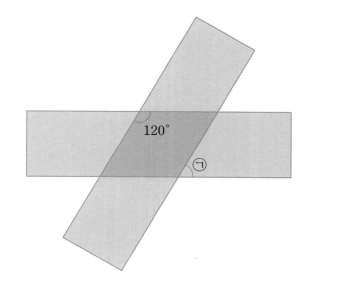

(   )

5 칠교판을 이용하여 네 각이 모두 직각인 사각형을 만들어 보세요.

6 직사각형 모양의 시루떡을 그림과 같이 12조각으로 잘랐습니다. 자르기 전 시루떡의 세로를 ①~⑨를 이용하여 나타내어 보세요.

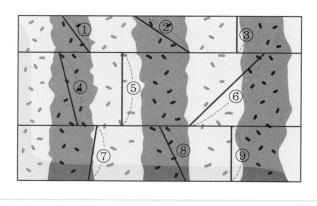

(시루떡의 세로)=□+□+□

7 두 직선 나와 다가 서로 수직일 때 □ 안에 알맞은 수를 써넣으세요.

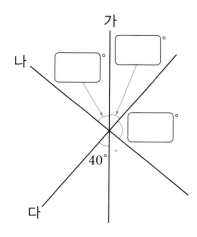

8 모양과 크기가 같은 마름모 3개를 이어 붙여 만든 도형입니다. 도형의 둘레는 몇 cm인지 구해 보세요.

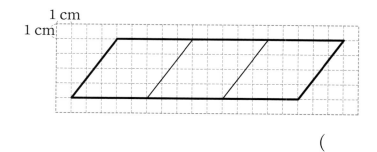

(   )

9 그림에서 찾을 수 있는 크고 작은 마름모는 모두 몇 개인지 구해 보세요.

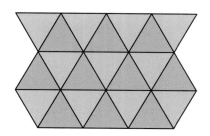

(   )

10 두 직선 가와 나는 서로 평행합니다. 각 ㉠의 크기를 구해 보세요.

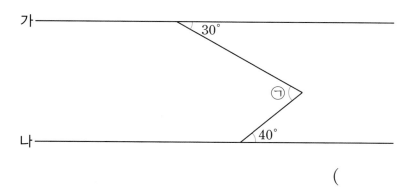

(   )

11 모양과 크기가 같은 직사각형 모양의 종이띠 2장을 겹쳐 놓은 것입니다. 각 ㉠과 각 ㉡의 크기를 각각 구해 보세요.

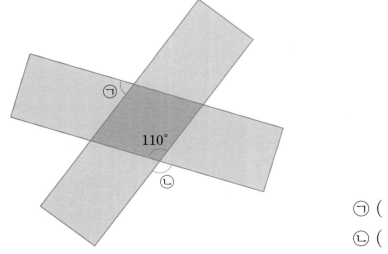

㉠ (   )

㉡ (   )

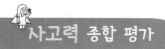

12 그림에서 찾을 수 있는 평행사변형은 모두 몇 개인지 구해 보세요.

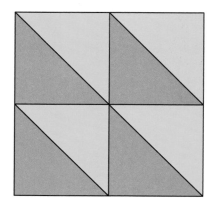

(   )

13 두루마리 휴지 한 칸의 크기가 다음과 같을 때, 연결된 두루마리 휴지 9칸의 둘레는 몇 mm인지 구해 보세요.

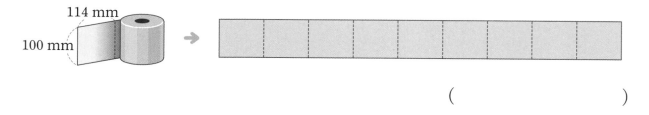

(   )

14 그림에서 찾을 수 있는 크고 작은 사다리꼴은 모두 몇 개일까요?

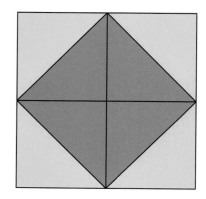

(   )

꺾은선그래프

✿ 꺾은선그래프 알아보기

- 수량을 점으로 표시하고, 그 점들을 선분으로 이어 그린 그래프를 꺾은선그래프라고 합니다.

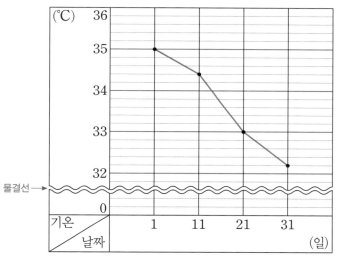

8월 최고 기온

① 꺾은선그래프의 가로는 날짜를, 세로는 기온을 나타냅니다.
② 세로 눈금 한 칸은 0.2℃를 나타냅니다.
③ 꺾은선은 최고 기온의 변화를 나타냅니다.
④ 조사한 날 중에서 1일의 최고 기온이 35℃로 가장 높고, 31일의 최고 기온이 32.2℃로 가장 낮습니다.
⑤ 1일부터 31일까지 최고 기온이 계속 낮아졌습니다.
⑥ 필요 없는 부분을 줄여서 ≈(물결선)으로 나타내었습니다.

✿ 꺾은선그래프 그리기

연도별 적설량

연도(년)	2016	2017	2018	2019
적설량(mm)	21	23	30	22

① 가로에 연도, 세로에 적설량을 나타내도록 꺾은선그래프를 그립니다.
② 세로 눈금 한 칸의 크기를 1 mm로 정하고, 조사한 수 중 가장 큰 수인 30 mm를 나타낼 수 있도록 눈금의 수를 정합니다.
③ 가로 눈금과 세로 눈금이 만나는 자리에 점을 찍고, 점을 선분으로 잇습니다.
④ 꺾은선그래프에 알맞은 제목을 붙입니다.

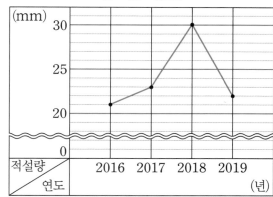

연도별 적설량

✿ 알맞은 그래프 선택하기

꺾은선그래프	막대그래프
• 강낭콩의 키의 변화	• 학교별 학생 수
• 시간대별 강수량	• 나라별 금메달 수

1 3월부터 8월까지 월별 최저 기온과 최고 기온을 조사하여 나타낸 꺾은선그래프입니다. 최저 기온과 최고 기온의 차이가 가장 큰 때와 가장 작은 때는 각각 몇 월인지 구하려고 합니다. 물음에 답하세요.

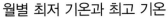

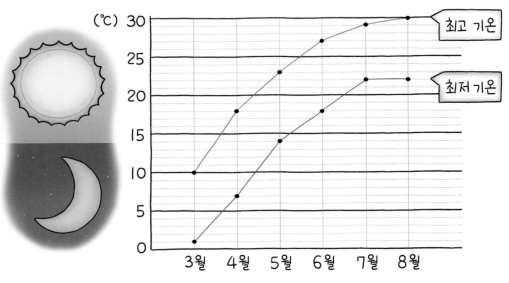

❶ 최저 기온과 최고 기온의 차이가 가장 큰 때는 몇 월일까요?

(   )

❷ 최저 기온과 최고 기온의 차이가 가장 작은 때는 몇 월일까요?

(   )

2 어느 문구점의 공책과 수첩 판매량을 월별로 조사하여 나타낸 꺾은선그래프입니다. 공책과 수첩 판매량의 차가 가장 큰 때는 몇 월인지 구해 보세요.

공책과 수첩 판매량

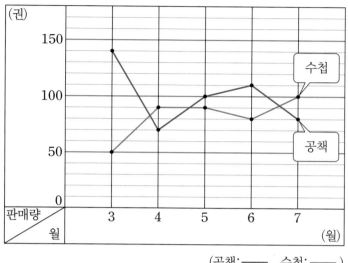

(　　　　　　　)

3 A 동물원과 B 동물원의 요일별 입장객 수를 조사하여 나타낸 꺾은선그래프입니다. 두 동물원의 입장객 수의 차가 가장 큰 요일에는 입장객 수의 차가 몇 명이었는지 구해 보세요.

A 동물원과 B 동물원의 입장객 수

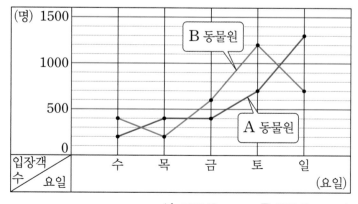

(　　　　　　　)

유형 ② 꺾은선그래프의 세로 눈금 알아보기 `문제 해결`

1 신발 판매량을 조사하여 나타낸 표를 보고 세로 눈금 한 칸의 크기가 10켤레인 꺾은선그래프로 나타내려고 합니다. 신발이 가장 많이 팔린 요일과 가장 적게 팔린 요일은 세로 눈금이 몇 칸 차이가 나는지 구하려고 합니다. 물음에 답하세요.

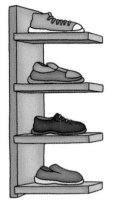
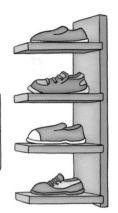

신발 판매량

요일 (요일)	월	화	수	목	금	토
판매량 (켤레)	420	390	500	460	510	370

❶ 신발이 가장 많이 팔린 요일은 언제이고, 몇 켤레 팔렸을까요?

(   ), (   )

❷ 신발이 가장 적게 팔린 요일은 언제이고, 몇 켤레 팔렸을까요?

(   ), (   )

❸ 세로 눈금 한 칸의 크기가 10켤레인 꺾은선그래프로 나타내면 신발이 가장 많이 팔린 요일과 가장 적게 팔린 요일은 세로 눈금이 몇 칸 차이가 날까요?

(   )

2 다음 표를 보고 세로 눈금 한 칸의 크기가 50대인 꺾은선그래프로 나타내려고 합니다. 자동차 생산량이 가장 많은 연도와 가장 적은 연도는 세로 눈금이 몇 칸 차이가 나는지 구하려고 합니다. 물음에 답하세요.

자동차 생산량

연도(년)	2014	2015	2016	2017	2018	2019
생산량(대)	3400	2850	3000	3300	3550	2900

(1) 자동차 생산량이 가장 많은 연도와 가장 적은 연도의 생산량의 차를 구해 보세요.

(   )

(2) 자동차 생산량이 가장 많은 연도와 가장 적은 연도의 세로 눈금이 몇 칸 차이가 나는지 구해 보세요.

(   )

5
단원

3 다음 표를 보고 세로 눈금 한 칸의 크기가 2회인 꺾은선그래프로 나타내려고 합니다. 윗몸 말아 올리기를 가장 많이 한 요일과 가장 적게 한 요일은 세로 눈금이 몇 칸 차이가 나는지 구해 보세요.

윗몸 말아 올리기 횟수

요일(요일)	월	화	수	목	금
횟수(회)	18	30	22	26	32

(   )

1 빵집에서 판매한 도넛의 수를 5일 동안 조사하여 나타낸 꺾은선그래프입니다. 도넛 1개의 가격이 1200원일 때, 5일 동안 도넛을 판매하고 받은 금액은 모두 얼마인지 구해 보세요.

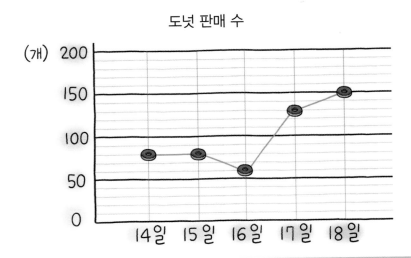

도넛 판매 수

❶ 세로 눈금 한 칸의 크기는 몇 개일까요?

(   )

❷ 5일 동안의 판매량은 모두 몇 개일까요?

(   )

❸ 5일 동안 판매하고 받은 금액은 모두 얼마일까요?

(   )

2 만두 한 상자의 가격이 2000원일 때, 월요일부터 금요일까지 만두를 판매하고 받은 금액은 모두 얼마인지 구해 보세요.

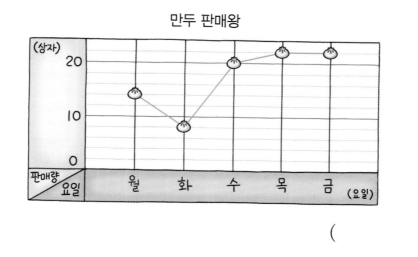

만두 판매왕

(   )

3 선풍기 한 대의 가격이 45000원일 때, 판매량이 가장 많은 달과 가장 적은 달의 판매 금액의 차는 얼마인지 구해 보세요.

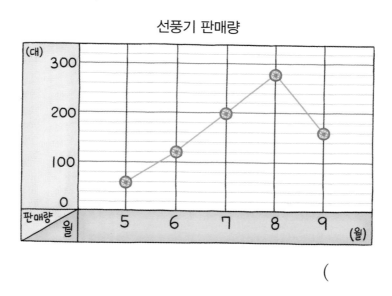

선풍기 판매량

(   )

1 자동차가 일정한 빠르기로 간 거리를 나타낸 꺾은선그래프입니다. 이 자동차가 같은 빠르기로 간다면 45분 동안 가는 거리는 몇 km인지 구하려고 합니다. 물음에 답하세요.

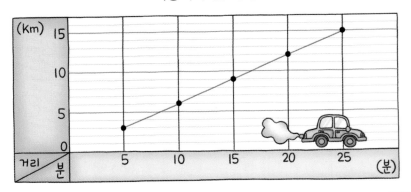

자동차가 간 거리

❶ 자동차는 5분 동안 몇 km를 갈까요?

(   )

❷ 45분은 5분의 몇 배일까요?

(   )

❸ 자동차는 45분 동안 몇 km를 갈까요?

(   )

2 수도꼭지를 틀어 나온 물의 양을 나타낸 꺾은선그래프입니다. 이 수도꼭지를 1시간 동안 틀어 놓았을 때 나온 물의 양은 몇 L가 되는지 구해 보세요.

나온 물의 양

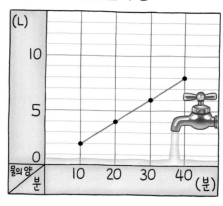

(   )

3 어느 인형 공장의 인형 생산량을 나타낸 꺾은선그래프입니다. 같은 빠르기로 인형을 만든다면 55분 동안 인형을 몇 개 만들 수 있는지 구해 보세요.

인형 생산량

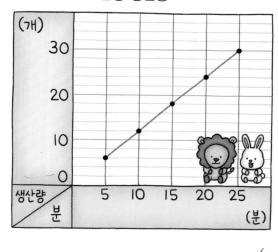

(   )

1 학교 도서관에서 이번 주에 빌려준 책의 수를 조사하여 나타낸 표와 꺾은선그래프 입니다. 빌려준 책의 총 권수가 1080권일 때, 물음에 답하세요.

빌려준 책의 수

요일(요일)	월	화	수	목	금
책의 수(권)	200	230			180

빌려준 책의 수

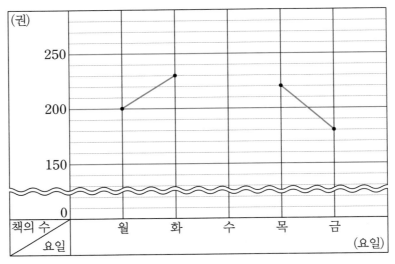

❶ 목요일에 빌려준 책은 몇 권일까요?

( )

❷ 수요일에 빌려준 책은 몇 권일까요?

( )

❸ 표와 꺾은선그래프를 완성해 보세요.

2 어느 공장에서 연도별 불량품 수를 조사하여 나타낸 표와 꺾은선그래프입니다. 2014년부터 2018년까지 불량품의 전체 개수가 410개일 때, 표와 그래프를 완성해 보세요.

불량품 수

연도(년)	2014	2015	2016	2017	2018
불량품 수(개)	80	120	70	100	

불량품 수

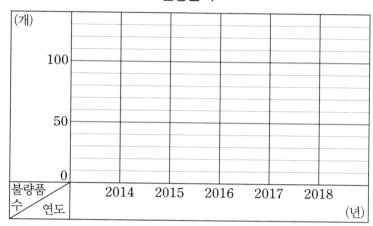

3 어느 붕어빵 가게의 요일별 판매량을 조사하여 나타낸 표와 꺾은선그래프입니다. 수요일의 판매량은 금요일의 판매량보다 40개 더 많을 때 표와 꺾은선그래프를 완성해 보세요.

붕어빵 판매량

요일(요일)	월	화	수	목	금	합계
판매량(개)	200	260		280		1380

붕어빵 판매량

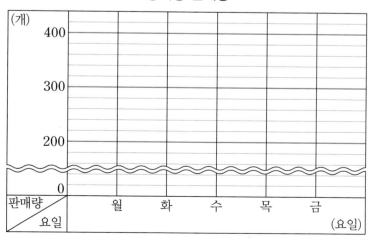

유형 6 알맞은 그래프로 나타내기

정보 처리

1 어느 도시의 연도별 인구수를 조사하여 나타낸 표입니다. 물음에 답하세요.

연도별 인구수

연도(년)	2014	2015	2016	2017	2018	2019
인구수(명)	119600	118600	118000	117400	117200	115200

❶ 연도별 인구수의 변화를 나타낼 때 막대그래프와 꺾은선그래프 중에서 더 알맞은 그래프는 무엇일까요?

( )

❷ 다음 그래프의 세로 눈금 한 칸의 크기는 몇 명일까요?

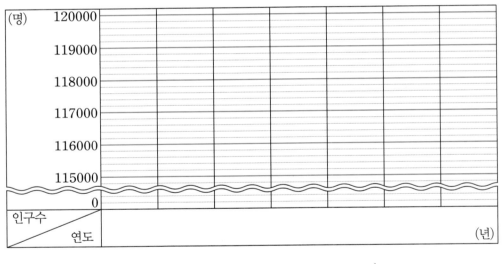

연도별 인구수

( )

❸ 위의 그래프를 완성하세요.

❹ 위 ❸에서 완성한 그래프에서 알 수 있는 내용 한 가지를 써 보세요.

_____

_____

2 그래프로 나타낼 때 막대그래프보다 꺾은선그래프로 나타내면 더 좋은 것을 모두 찾아 기호를 써 보세요.

> ㉠ 공장별 자동차 생산량
> ㉡ 학생별 좋아하는 간식
> ㉢ 강아지의 월별 무게의 변화
> ㉣ 가게에 있는 종류별 과일 수
> ㉤ 혜미의 연도별 키의 변화

(   )

3 바다 표면의 수온을 조사하여 나타낸 표입니다. 바다 표면의 수온의 변화를 알아보려고 할 때 막대그래프와 꺾은선그래프 중에서 더 알맞은 그래프로 나타내어 보세요.

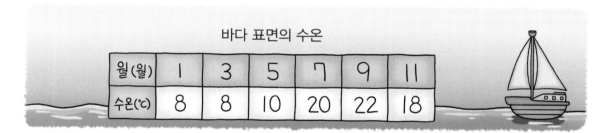

바다 표면의 수온

월(월)	1	3	5	7	9	11
수온(℃)	8	8	10	20	22	18

바다 표면의 수온

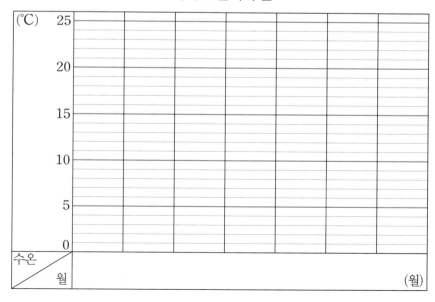

[1~2] 다음 자료를 조사하여 나타낼 때 어느 그래프로 나타내는 것이 더 **좋은지** 알맞은 그래프에 ○표 하세요.

1 1년 동안의 기온 변화

(　막대그래프 , 꺾은선그래프　)

2 진주네 학교의 반별 학생 수

(　막대그래프 , 꺾은선그래프　)

3 준호의 몸무게를 조사하여 나타낸 꺾은선그래프입니다. 준호의 몸무게는 조사한 기간 동안 몇 kg 늘어났는지 구해 보세요.

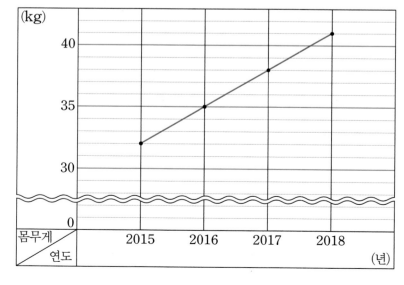

준호의 몸무게

(　　　　　)

4 표를 보고 세로 눈금 한 칸의 크기가 5개인 꺾은선그래프로 나타내려고 합니다. 아이스크림이 가장 많이 팔린 달과 가장 적게 팔린 달은 세로 눈금이 몇 칸 차이가 나는지 구해 보세요.

아이스크림 판매량

월(월)	3	4	5	6	7
판매량(개)	20	35	50	70	95

(   )

[5~6] 햄버거 가게에서 5일 동안 판매한 새우 버거의 수를 조사하여 나타낸 꺾은선그래프입니다. 새우 버거 1개의 가격이 2500원일 때, 물음에 답하세요.

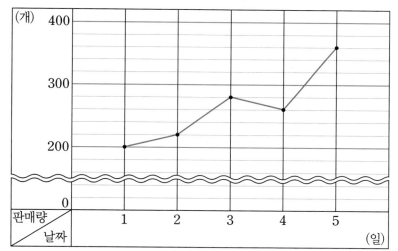

새우 버거 판매량

5 5일 동안 판매한 새우 버거는 모두 몇 개일까요?

(   )

6 5일 동안 새우 버거를 판매하고 받은 금액은 모두 얼마일까요?

(   )

[7~9] 어느 치킨 가게의 월요일부터 금요일까지 판매 건수는 172건입니다. 요일별 판매 건수를 조사하여 나타낸 표와 꺾은선그래프를 보고 물음에 답하세요.

치킨 판매 건수

요일(요일)	월	화	수	목	금
판매 건수(건)	40	32	20		44

치킨 판매 건수

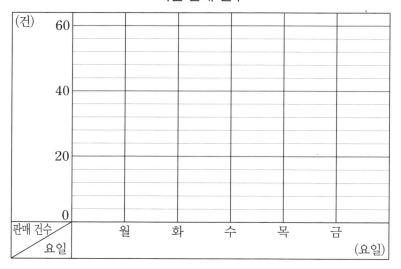

7 목요일의 치킨 판매 건수는 몇 건일까요?

(   )

8 표와 꺾은선그래프를 완성해 보세요.

9 판매 건수가 가장 많은 요일과 가장 적은 요일의 판매 건수의 차는 몇 건일까요?

(   )

10 버스가 일정한 빠르기로 간 거리를 나타낸 꺾은선그래프입니다. 이 버스가 같은 빠르기로 간다면 1시간 10분 동안 가는 거리는 몇 km인지 구해 보세요.

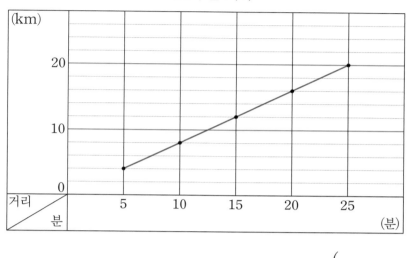

버스가 간 거리

( )

[11~12] 식물의 키의 변화를 조사하여 나타낸 꺾은선그래프입니다. 물음에 답하세요.

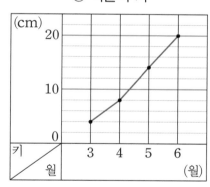

㉮ 식물의 키

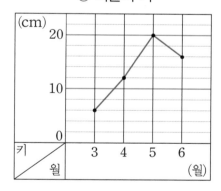

㉯ 식물의 키

11 조사하는 동안 시들기 시작한 식물은 어느 것일까요?

( )

12 ㉮ 식물의 키는 조사 기간 동안 몇 cm 자랐을까요?

( )

[13~15] 서울과 울릉도의 강수량을 월별로 조사하여 나타낸 꺾은선그래프입니다. 물음에 답하세요.

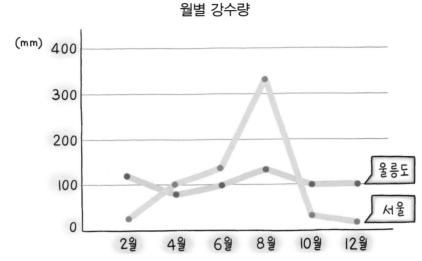

13 서울과 울릉도 중에서 월별 강수량의 변화가 더 큰 지역은 어디일까요?

( )

14 서울과 울릉도의 강수량의 차가 가장 큰 달은 몇 월일까요?

( )

15 서울과 울릉도의 강수량의 차가 가장 작은 달은 몇 월일까요?

( )

6 다각형

❀ 다각형 알아보기

- 다각형: 선분으로만 둘러싸인 도형

- 다각형의 이름
  다각형은 변의 수에 따라 이름을 부릅니다.

변의 수	6개	7개	8개
이름	육각형	칠각형	팔각형

❀ 정다각형 알아보기

- 정다각형: 변의 길이가 모두 같고, 각의 크기가 모두 같은 다각형

정사각형   정오각형   정육각형

❀ 대각선 알아보기

- 대각선: 다각형에서 서로 이웃하지 않는 두 꼭짓점을 이은 선분

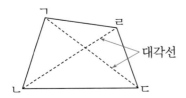

• 여러 가지 사각형에서 대각선의 특징

 직사각형의 두 대각선은 길이가 같고, 한 대각선이 다른 대각선을 똑같이 둘로 나눕니다.

 마름모의 두 대각선은 서로 수직으로 만나고, 한 대각선이 다른 대각선을 똑같이 둘로 나눕니다.

❀ 모양 조각으로 모양 만들기

모양 조각

삼각형   사각형   육각형

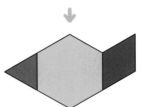

❀ 모양 조각으로 모양 채우기

한 가지 모양 조각으로 모양 채우기

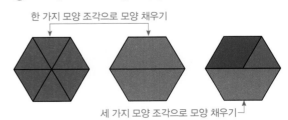

세 가지 모양 조각으로 모양 채우기

유형 ① 다각형의 이름 알아보기

정보 처리

1 주리가 퍼즐을 맞추고 있습니다. ㉠과 ㉡에 알맞은 퍼즐 조각은 어떤 다각형인지 알아보려고 합니다. 물음에 답하세요.

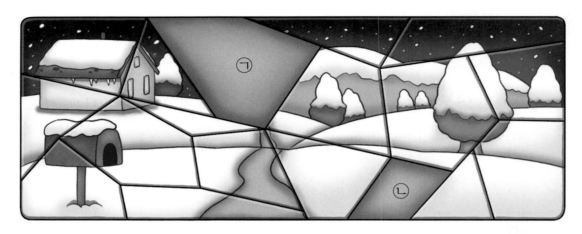

❶ ㉠과 ㉡에 알맞은 퍼즐 조각의 변의 수를 각각 써 보세요.

㉠ (   )

㉡ (   )

❷ ㉠과 ㉡에 알맞은 퍼즐 조각은 어떤 다각형인지 이름을 각각 써 보세요.

㉠ (   )

㉡ (   )

2 표지판에서 볼 수 있는 다각형의 이름을 써 보세요.

(1)

(   )

(2)

(   )

3 다각형의 변의 수와 꼭짓점의 수의 차를 구해 보세요.

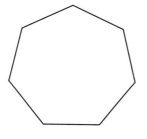

(   )

6
단원

4 모양 조각을 사용하여 만든 모양입니다. 육각형 모양 조각은 사각형 모양 조각보다 몇 개 더 적은지 구해 보세요.

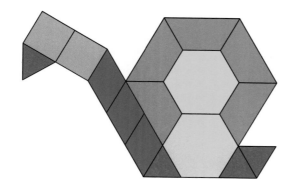

(   )

1 여러 가지 정다각형을 겹치지 않게 이어 붙여서 만든 도형입니다. 정삼각형의 세 변의 길이의 합이 36 cm일 때, 빨간색 선의 길이를 구하려고 합니다. 물음에 답하세요.

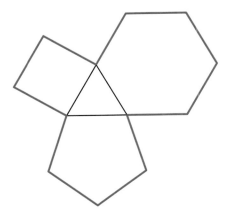

❶ 정삼각형의 한 변의 길이는 몇 cm일까요?

(　　　　　　　　)

❷ 빨간색 선의 길이는 정삼각형의 한 변의 길이의 몇 배일까요?

(　　　　　　　　)

❸ 빨간색 선의 길이는 몇 cm일까요?

(　　　　　　　　)

2 네 변의 길이의 합이 16 cm인 마름모를 겹치지 않게 이어 붙여 만든 도형입니다. 빨간색 선의 길이를 구해 보세요.

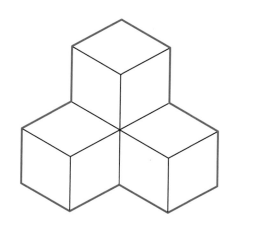

(   )

3 여러 가지 정다각형을 겹치지 않게 이어 붙여서 만든 도형입니다. 정칠각형의 모든 변의 길이의 합이 91 cm일 때, 빨간색 선의 길이를 구해 보세요.

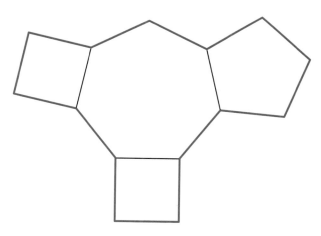

(   )

유형 3 대각선을 그었을 때 생기는 각 추론

1 사각형 ㄱㄴㄷㄹ은 직사각형입니다. 각 ㄱㅁㄹ의 크기를 구하려고 합니다. 물음에 답하세요.

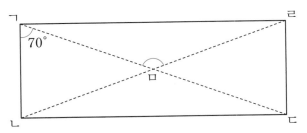

❶ 각 ㅁㄱㄹ의 크기를 구해 보세요.

(   )

❷ 각 ㅁㄹㄱ의 크기를 구해 보세요.

(   )

❸ 각 ㄱㅁㄹ의 크기를 구해 보세요.

(   )

2 사각형 ㄱㄴㄷㄹ은 직사각형입니다. 각 ㅁㄱㄹ의 크기를 구해 보세요.

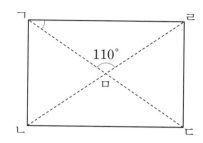

(   )

3 사각형 ㄱㄴㄷㄹ은 마름모입니다. 각 ㄱㄷㄹ의 크기를 구해 보세요.

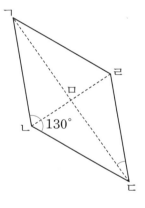

(   )

4 사각형 ㄱㄴㄷㄹ은 정사각형입니다. 각 ㄹㄴㄷ의 크기를 구해 보세요.

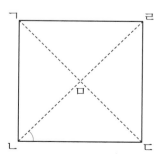

(   )

유형 ④ 사각형의 대각선의 성질 활용

문제 해결

1 사각형 ㄱㄴㄷㄹ이 마름모이고 두 대각선의 길이의 합이 42 cm일 때 선분 ㄴㅁ의 길이를 구하려고 합니다. 물음에 답하세요.

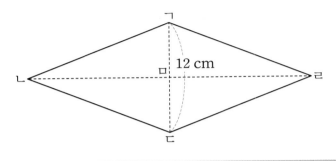

❶ 선분 ㄴㄹ의 길이를 구해 보세요.

( )

❷ 마름모의 대각선의 성질을 나타낸 것입니다. ☐ 안에 알맞은 말을 써넣으세요.

마름모는 두 대각선이 서로 ☐으로 만나고, 한 대각선이 다른 대각선을 똑같이 ☐(으)로 나눕니다.

❸ 선분 ㄴㅁ의 길이를 구해 보세요.

( )

2 사각형 ㄱㄴㄷㄹ은 직사각형입니다. 선분 ㄱㄷ의 길이를 구해 보세요.

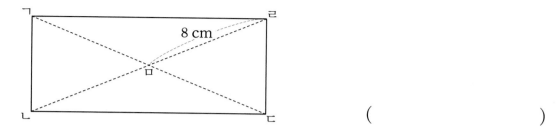

(   )

3 사각형 ㄱㄴㄷㄹ은 두 대각선의 길이의 합이 30 cm인 평행사변형입니다. 선분 ㄱㅁ의 길이를 구해 보세요.

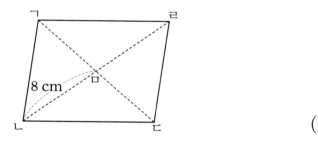

(   )

4 사각형 ㄱㄴㄷㄹ은 직사각형, 사각형 ㅁㄴㄷㅂ은 평행사변형입니다. 사각형 ㅁㄴㄷㅂ의 네 변의 길이의 합은 몇 cm인지 구해 보세요.

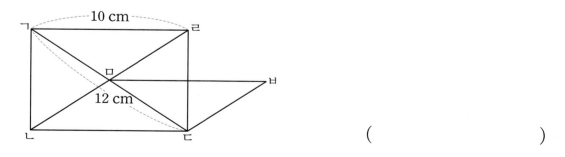

(   )

1 식탁에 여러 가지 다각형 모양의 그릇이 올려져 있습니다. 각 그릇의 바닥에 그을 수 있는 대각선의 수의 합을 구하려고 합니다. 물음에 답하세요.

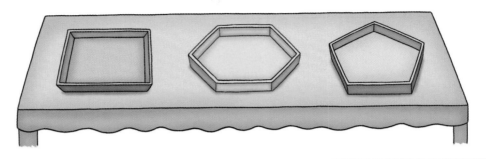

❶ 각 그릇의 바닥에 그을 수 있는 대각선을 모두 그어 보세요.

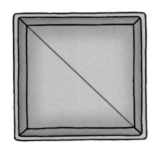  

❷ 각 그릇의 바닥에 그을 수 있는 대각선의 수의 합은 몇 개일까요?

( )

2 팔각형에 그을 수 있는 대각선을 모두 긋고, 그을 수 있는 대각선의 수를 구하는 식을 완성해 보세요.

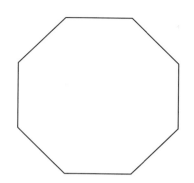

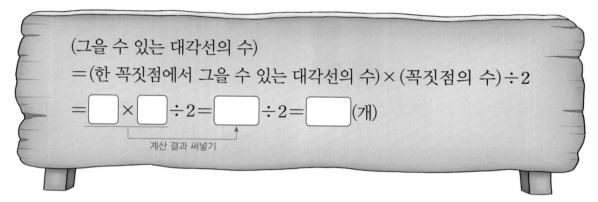

(그을 수 있는 대각선의 수)
=(한 꼭짓점에서 그을 수 있는 대각선의 수)×(꼭짓점의 수)÷2
=□×□÷2=□÷2=□(개)

계산 결과 써넣기

3 어떤 다각형의 한 꼭짓점에서 그을 수 있는 대각선이 4개일 때, 이 다각형에 그을 수 있는 대각선은 모두 몇 개인지 구해 보세요.

(1) 다각형의 이름은 무엇일까요?

(   )

(2) 다각형에 그을 수 있는 대각선은 모두 몇 개일까요?

(   )

1 종이로 정육각형 20개와 정오각형 12개를 만들고 이어 붙이면 축구공을 만들 수 있습니다. 만든 축구공의 일부분을 다시 펼쳤을 때 ㉠의 각도를 구하려고 합니다. 물음에 답하세요.

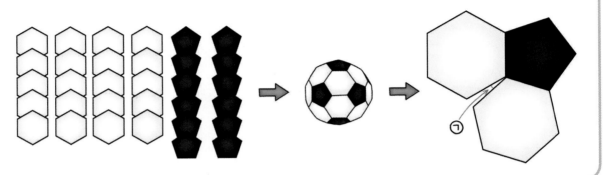

❶ 정오각형의 한 각의 크기를 구해 보세요.

( )

❷ 정육각형의 한 각의 크기를 구해 보세요.

( )

❸ ㉠의 각도를 구해 보세요.

( )

2 오각형 ㄱㄴㄷㄹㅁ은 정오각형입니다. 변 ㄱㅁ과 변 ㄷㄹ을 연장하여 만든 삼각형
ㅁㄹㅂ에서 각 ㅁㅂㄹ의 크기를 구해 보세요.

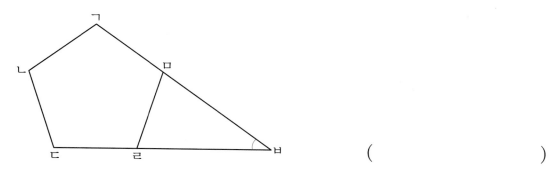

(   )

3 팔각형 ㄱㄴㄷㄹㅁㅂㅅㅇ은 정팔각형입니다. 물음에 답하세요.

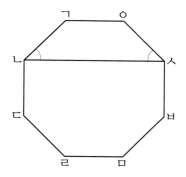

(1) 정팔각형의 한 각의 크기를 구해 보세요.

(   )

(2) 각 ㄱㄴㅅ과 각 ㅇㅅㄴ의 크기의 합을 구해 보세요.

(   )

[1~2] 영서가 맞추고 있는 퍼즐의 마지막 조각은 어떤 다각형인지 알아보려고 합니다. 물음에 답하세요.

1 마지막 퍼즐 조각의 변의 수와 꼭짓점의 수를 각각 ☐ 안에 써넣으세요.

변의 수 ➔ ☐ 개, 꼭짓점의 수 ➔ ☐ 개

2 마지막 퍼즐 조각으로 알맞은 다각형의 이름을 써 보세요.

(   )

3 도형에서 찾을 수 있는 정다각형의 이름에 모두 ○표 하세요.

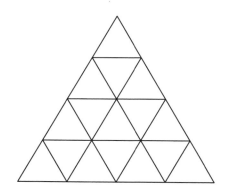

정삼각형

정사각형

정육각형

정팔각형

4 모양 조각을 사용하여 만든 모양입니다. 삼각형 모양 조각은 사각형 모양 조각보다 몇 개 더 적은지 구해 보세요.

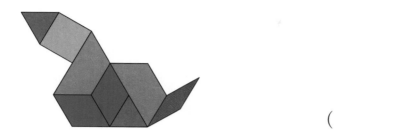

(   )

[5~6] 여러 가지 정다각형을 겹치지 않게 이어 붙여서 만든 도형입니다. 물음에 답하세요.

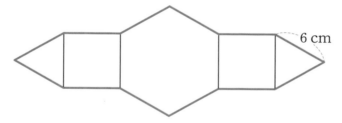

6 cm

5 도형을 이루고 있는 정다각형의 이름을 모두 써 보세요.

(   )

6 빨간색 선의 길이를 구해 보세요.

(   )

7 길이가 3 m인 철사로 한 변의 길이가 9 cm인 정팔각형 3개를 만들었습니다. 만들고 남은 철사는 몇 cm인지 구해 보세요.

(   )

8 구각형에 그을 수 있는 대각선의 수를 구하는 식을 완성해 보세요.

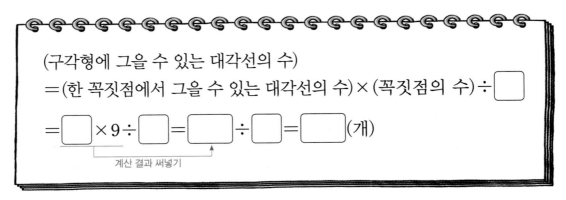

(구각형에 그을 수 있는 대각선의 수)
=(한 꼭짓점에서 그을 수 있는 대각선의 수)×(꼭짓점의 수)÷ ☐

= ☐ × 9 ÷ ☐ = ☐ ÷ ☐ = ☐ (개)

계산 결과 써넣기

9 십각형에 그을 수 있는 대각선은 모두 몇 개일까요?

(   )

10 사각형 ㄱㄴㄷㄹ은 직사각형입니다. 각 ㅁㄷㄴ의 크기를 구해 보세요.

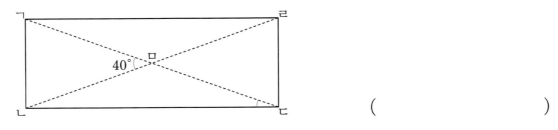

(   )

11 사각형 ㄱㄴㄷㄹ은 직사각형입니다. 삼각형 ㄱㄴㅁ의 둘레가 21 cm일 때, 선분 ㄱㄷ의 길이를 구해 보세요.

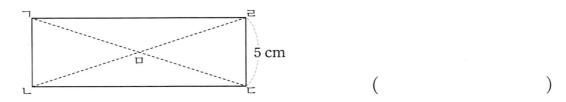

(   )

12 사각형 ㄱㄴㄷㄹ은 직사각형이고, 사각형 ㄱㅁㅂㄹ은 평행사변형입니다. 사각형 ㄱㅁㅂㄹ의 네 변의 길이의 합은 몇 cm인지 구해 보세요.

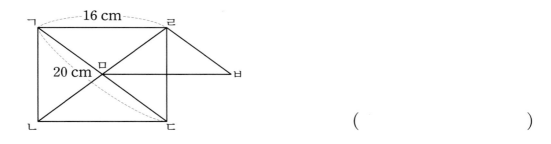

( )

13 육각형 ㄱㄴㄷㄹㅁㅂ은 정육각형입니다. 변 ㄱㅂ과 변 ㄹㅁ을 연장하여 만든 삼각형 ㅂㅁㅅ의 각 ㅂㅅㅁ의 크기를 구해 보세요.

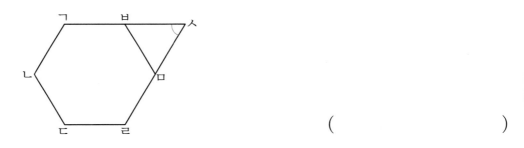

( )

14 어떤 다각형의 한 꼭짓점에서 그을 수 있는 대각선이 3개일 때, 이 다각형에 그을 수 있는 대각선은 모두 몇 개일까요?

( )

15 정오각형과 정구각형을 겹치지 않게 이어 붙여 만든 도형입니다. 각 ㉠의 크기를 구해 보세요.

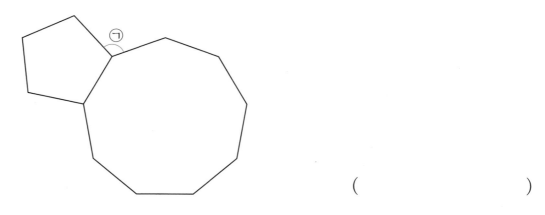

(   )

16 그을 수 있는 대각선의 수가 20개인 정다각형의 한 각의 크기는 몇 도인지 구하려고 합니다. 물음에 답하세요.

(1) 그을 수 있는 대각선의 수가 20개인 다각형을 구하려고 합니다. 표를 완성하고 규칙을 알아보세요.

다각형	사각형	오각형	육각형	칠각형	팔각형
그을 수 있는 대각선의 수(개)	2	5			

3개   ☐개   ☐개   ☐개

(2) 그을 수 있는 대각선의 수가 20개인 정다각형은 무엇일까요?

(   )

(3) 위 (2)에서 구한 정다각형의 한 각의 크기를 구해 보세요.

(   )

15 정오각형과 정구각형을 겹치지 않게 이어 붙여 만든 도형입니다. 각 ㉠의 크기를 구해 보세요.

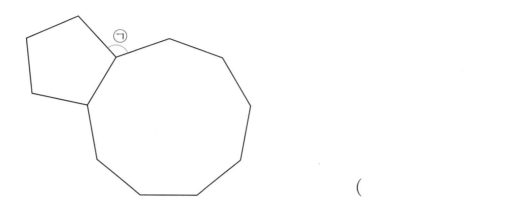

(   )

16 그을 수 있는 대각선의 수가 20개인 정다각형의 한 각의 크기는 몇 도인지 구하려고 합니다. 물음에 답하세요.

(1) 그을 수 있는 대각선의 수가 20개인 다각형을 구하려고 합니다. 표를 완성하고 규칙을 알아보세요.

다각형	사각형	오각형	육각형	칠각형	팔각형
그을 수 있는 대각선의 수(개)	2	5			

3개   ☐개   ☐개   ☐개

(2) 그을 수 있는 대각선의 수가 20개인 정다각형은 무엇일까요?

(   )

(3) 위 (2)에서 구한 정다각형의 한 각의 크기를 구해 보세요.

(   )

12 사각형 ㄱㄴㄷㄹ은 직사각형이고, 사각형 ㄱㅁㅂㄹ은 평행사변형입니다. 사각형 ㄱㅁㅂㄹ의 네 변의 길이의 합은 몇 cm인지 구해 보세요.

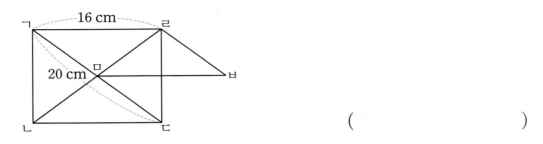

(   )

13 육각형 ㄱㄴㄷㄹㅁㅂ은 정육각형입니다. 변 ㄱㅂ과 변 ㄹㅁ을 연장하여 만든 삼각형 ㅂㅁㅅ의 각 ㅂㅅㅁ의 크기를 구해 보세요.

(   )

14 어떤 다각형의 한 꼭짓점에서 그을 수 있는 대각선이 3개일 때, 이 다각형에 그을 수 있는 대각선은 모두 몇 개일까요?

(   )

Go!
매쓰

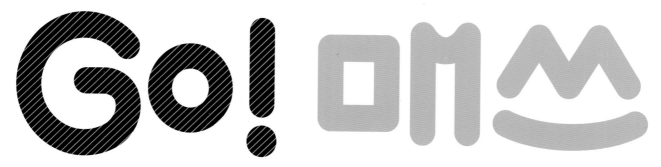

교과서 GO! 사고력 GO!

GO! 매쓰

사고력 중심

Jump
유형 사고력

정답과 풀이

수학 4-2

열심히
풀었으니까,
한 번 맞춰 볼까?

Go! 매쓰 Jump

정답과 풀이

수학 **4**-2

유형 ① 알맞은 분수 구하기 　문제 해결

1 □ 안에 알맞은 분수를 구하려고 합니다. 물음에 답하세요.

$$□ + 1\frac{4}{7} = 7 - 2\frac{5}{7}$$

❶ $7 - 2\frac{5}{7}$ 를 계산해 보세요.

($4\frac{2}{7}$)

❖ $7 - 2\frac{5}{7} = 6\frac{7}{7} - 2\frac{5}{7} = 4\frac{2}{7}$

❷ 위 ❶의 계산 결과를 이용하여 식을 간단히 나타내어 보세요.

(예) $□ + 1\frac{4}{7} = 4\frac{2}{7}$

❸ □ 안에 알맞은 분수를 구해 보세요.

($2\frac{5}{7}$)

❖ $□ + 1\frac{4}{7} = 4\frac{2}{7}$ ➡ $□ = 4\frac{2}{7} - 1\frac{4}{7} = 3\frac{9}{7} - 1\frac{4}{7} = 2\frac{5}{7}$

6 · Jump 4-2

---

2 □ 안에 알맞은 분수를 써넣으세요.

(1) $3\frac{2}{9} + \boxed{2\frac{5}{9}} = 5\frac{7}{9}$ 　　(2) $\boxed{7\frac{2}{11}} - 4\frac{7}{11} = 2\frac{6}{11}$

❖ (1) $3\frac{2}{9} + □ = 5\frac{7}{9}$ ➡ $□ = 5\frac{7}{9} - 3\frac{2}{9} = 2\frac{5}{9}$

(2) $□ - 4\frac{7}{11} = 2\frac{6}{11}$ ➡ $□ = 2\frac{6}{11} + 4\frac{7}{11} = 6\frac{13}{11} = 7\frac{2}{11}$

3 윗접시저울의 양쪽에 구슬을 2개씩 올려놓았더니 윗접시저울이 어느 쪽으로도 기울지 않았습니다. 빨간색 구슬의 무게는 몇 kg인지 분수로 나타내어 보세요.

(1)

($3\frac{11}{15}$ kg)

(2)

($1\frac{5}{11}$ kg)

❖ 윗접시저울이 어느 쪽으로도 기울지 않았으므로 양쪽의 무게가 서로 같습니다.

(1) $\frac{10}{15} + 7\frac{9}{15} = 7\frac{19}{15} = 8\frac{4}{15}$ (kg) ➡ $8\frac{4}{15} - 4\frac{8}{15} = 7\frac{19}{15} - 4\frac{8}{15} = 3\frac{11}{15}$ (kg)

(2) $2\frac{3}{11} + \frac{8}{11} = 2\frac{11}{11} = 3$ (kg)

➡ $3 - 1\frac{6}{11} = 2\frac{11}{11} - 1\frac{6}{11} = 1\frac{5}{11}$ (kg)

1. 분수의 덧셈과 뺄셈 · 7

유형 ② 수직선에서 두 점 사이의 거리 구하기 　추론

1 수직선에서 ★과 ● 사이의 거리를 구하려고 합니다. 물음에 답하세요.

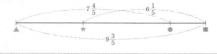

❶ □ 안에 알맞은 기호를 써넣어 문장을 완성해 보세요.

●와 ■ 사이의 거리는 ▲와 ■ 사이의 거리에서 ▲와 ● 사이의 거리를 뺀 것과 같습니다.

❷ ●와 ■ 사이의 거리를 구하려고 합니다. □ 안에 알맞은 분수를 써넣으세요.

(●와 ■ 사이의 거리) $= \boxed{9\frac{3}{5}} - \boxed{7\frac{4}{5}} = \boxed{1\frac{4}{5}}$

❖ (● ~ ■) = (▲ ~ ■) - (▲ ~ ●) $= 9\frac{3}{5} - 7\frac{4}{5} = 8\frac{8}{5} - 7\frac{4}{5} = 1\frac{4}{5}$

❸ ★과 ● 사이의 거리를 구하려고 합니다. □ 안에 알맞은 분수를 써넣으세요.

(★와 ● 사이의 거리) $= \boxed{6\frac{1}{5}} - \boxed{1\frac{4}{5}} = \boxed{4\frac{2}{5}}$

❖ (★ ~ ●) = (★ ~ ■) - (● ~ ■) $= 6\frac{1}{5} - 1\frac{4}{5} = 5\frac{6}{5} - 1\frac{4}{5} = 4\frac{2}{5}$

8 · Jump 4-2

---

2 수직선에서 ⓒ과 ⓔ 사이의 거리를 구해 보세요.

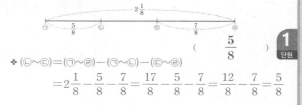

($\frac{5}{8}$)

❖ (ⓒ ~ ⓒ) = (㉠ ~ ㉣) - (㉠ ~ ⓒ) - (ⓒ ~ ㉣)

$= 2\frac{1}{8} - \frac{5}{8} - \frac{7}{8} = \frac{17}{8} - \frac{5}{8} - \frac{7}{8} = \frac{12}{8} - \frac{7}{8} = \frac{5}{8}$

3 수직선에서 ⓒ과 ⓒ 사이의 거리를 구해 보세요.

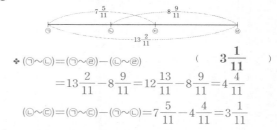

❖ (㉠ ~ ⓒ) = (㉠ ~ ㉣) - (ⓒ ~ ㉣) 　　($3\frac{1}{11}$)

$= 13\frac{2}{11} - 8\frac{9}{11} = 12\frac{13}{11} - 8\frac{9}{11} = 4\frac{4}{11}$

(ⓒ ~ ⓒ) = (㉠ ~ ⓒ) - (㉠ ~ ⓒ) $= 7\frac{5}{11} - 4\frac{4}{11} = 3\frac{1}{11}$

4 수직선에서 ⓒ과 ㉣ 사이의 거리를 구해 보세요.

(7)

❖ (ⓒ ~ ⓒ) = (㉠ ~ ⓒ) - (㉠ ~ ⓒ) $= 8\frac{3}{4} - 5\frac{1}{4} = 3\frac{2}{4}$

(ⓒ ~ ㉣) = (ⓒ ~ ㉣) - (ⓒ ~ ⓒ) $= 10\frac{2}{4} - 3\frac{2}{4} = 7$ 　　1. 분수의 덧셈과 뺄셈 · 9

유형 ③ 수 카드로 분수 만들기 문제 해결

1 5장의 수 카드를 모두 한 번씩만 사용하여 분모가 같은 진분수와 대분수를 하나씩 만들려고 합니다. 만들 수 있는 가장 큰 진분수와 가장 작은 대분수의 합과 차를 구할 때, 물음에 답하세요.

$$\boxed{5}\ \boxed{7}\ \boxed{2}\ \boxed{7}\ \boxed{4}$$

❶ □ 안에 알맞은 수를 써넣으세요.

> 5장의 수 카드를 모두 한 번씩만 사용하여 만드는 진분수와 대분수의 분모가 같습니다. 따라서 분모가 될 수 있는 수는 수 카드가 2장인 $\boxed{7}$ 입니다.

❷ 만들 수 있는 가장 큰 진분수를 구해 보세요.

($\dfrac{5}{7}$)

❖ 남은 수 카드의 수를 비교하면
5>4>2이므로 분모가 7이면서 가장 큰 진분수는 $\dfrac{5}{7}$입니다.

❸ 만들 수 있는 가장 작은 대분수를 구해 보세요.

($2\dfrac{4}{7}$)

❖ 남은 수 카드의 수를 비교하면
2<4이므로 분모가 7이면서 가장 작은 대분수는 $2\dfrac{4}{7}$입니다.

❹ 만든 두 분수의 합과 차를 구해 보세요.

❖ 합: $\dfrac{5}{7}+2\dfrac{4}{7}=2\dfrac{9}{7}=3\dfrac{2}{7}$　　합($3\dfrac{2}{7}$)

차: $2\dfrac{4}{7}-\dfrac{5}{7}=1\dfrac{11}{7}-\dfrac{5}{7}=1\dfrac{6}{7}$　　차($1\dfrac{6}{7}$)

10 · Jump 4-2

---

2 6장의 수 카드를 모두 한 번씩만 사용하여 분모가 8인 2개의 대분수를 만들려고 합니다. 만들 수 있는 가장 큰 대분수와 가장 작은 대분수의 합을 구해 보세요.

$$\boxed{8}\ \boxed{9}\ \boxed{7}\ \boxed{5}\ \boxed{3}\ \boxed{8}$$

($13\dfrac{4}{8}$)

❖ 분모인 8을 제외하고 남은 수 카드의 수를 비교하면
9>7>5>3이므로 분모가 8이면서 가장 큰 대분수는 $9\dfrac{7}{8}$이고, 가장 작은 대분수는 $3\dfrac{5}{8}$입니다. ➔ $9\dfrac{7}{8}+3\dfrac{5}{8}=12\dfrac{12}{8}=13\dfrac{4}{8}$

3 7장의 수 카드 중에서 6장을 뽑아 한 번씩만 사용하여 분모가 같은 2개의 대분수를 만들려고 합니다. 만들 수 있는 가장 큰 대분수와 가장 작은 대분수의 차를 구해 보세요.

$$\boxed{8}\ \boxed{2}\ \boxed{9}\ \boxed{4}\ \boxed{7}\ \boxed{9}\ \boxed{6}$$

($6\dfrac{3}{9}$)

❖ 분모가 될 수 있는 수는 수 카드가 2장인 9입니다.
남은 수 카드의 수를 비교하면 8>7>6>4>2이므로 분모가 9이면서 가장 큰 대분수는 $8\dfrac{7}{9}$이고, 가장 작은 대분수는 $2\dfrac{4}{9}$입니다. ➔ $8\dfrac{7}{9}-2\dfrac{4}{9}=6\dfrac{3}{9}$

4 1부터 9까지의 수 카드가 각각 1씩 있습니다. 9장의 수 카드 중에서 4장을 뽑아 뽑힌 수를 □ 안에 한 번씩 써넣어 분모가 10인 대분수를 만들려고 합니다. 이때 합이 가장 큰 대분수 2개를 만들고 두 분수의 합을 구해 보세요.

대분수 2개		합
예 $9\dfrac{7}{10}$ · $8\dfrac{6}{10}$		$18\dfrac{3}{10}$

❖ 수 카드의 수 중에서 가장 큰 수와 2번째로 큰 수는 자연수 부분에, 3번째로 큰 수와 4번째로 큰 수는 분자에 넣어서 만든 두 분수의 합을 구합니다.

1. 분수의 덧셈과 뺄셈 · 11

유형 ④ 바르게 계산한 값 구하기 추론

1 어떤 수에 $3\dfrac{2}{7}$를 더하고 $1\dfrac{5}{7}$를 빼야 할 것을 잘못하여 $2\dfrac{3}{7}$을 더하고 $4\dfrac{5}{7}$를 뺐더니 $3\dfrac{6}{7}$이 되었습니다. 바르게 계산한 값은 얼마인지 구하려고 합니다. 물음에 답하세요.

❶ 어떤 수를 □라 하여 잘못 계산한 식을 써 보세요.

> 잘못하여 어떤 수에 $2\dfrac{3}{7}$을 더하고 $4\dfrac{5}{7}$를 뺐더니 $3\dfrac{6}{7}$이 되었습니다. ➔ 예 $\square+2\dfrac{3}{7}-4\dfrac{5}{7}=3\dfrac{6}{7}$

❷ 위 ❶의 식을 이용하여 □를 구해 보세요.

❖ $\square+2\dfrac{3}{7}-4\dfrac{5}{7}=3\dfrac{6}{7}$　　($6\dfrac{1}{7}$)

➔ $\square=3\dfrac{6}{7}+4\dfrac{5}{7}-2\dfrac{3}{7}=7\dfrac{11}{7}-2\dfrac{3}{7}=8\dfrac{4}{7}-2\dfrac{3}{7}=6\dfrac{1}{7}$

❸ 바르게 계산한 식을 쓰고 답을 구해 보세요.

식 $6\dfrac{1}{7}+3\dfrac{2}{7}-1\dfrac{5}{7}=7\dfrac{5}{7}$

답 $7\dfrac{5}{7}$

❖ $6\dfrac{1}{7}+3\dfrac{2}{7}-1\dfrac{5}{7}=9\dfrac{3}{7}-1\dfrac{5}{7}=8\dfrac{10}{7}-1\dfrac{5}{7}=7\dfrac{5}{7}$

12 · Jump 4-2

➔❖ 어떤 수를 □라 하면 잘못 계산한 식은
$\square-2\dfrac{8}{13}=9\dfrac{7}{13}$입니다. ➔ $\square=9\dfrac{7}{13}+2\dfrac{8}{13}=11\dfrac{15}{13}=12\dfrac{2}{13}$입니다.

2 어떤 수에 $2\dfrac{8}{13}$를 더해야 할 것을 잘못하여 뺐더니 $9\dfrac{7}{13}$이 되었습니다. 바르게 계산한 값은 얼마인지 구해 보세요.

(1) 어떤 수를 구해 보세요.

($12\dfrac{2}{13}$)

(2) 바르게 계산한 값을 구해 보세요.

❖ $12\dfrac{2}{13}+2\dfrac{8}{13}=14\dfrac{10}{13}$　　($14\dfrac{10}{13}$)

➔❖ 어떤 수를 □라 하면 잘못 계산한 식은
$\square+1\dfrac{5}{9}-3\dfrac{7}{9}=2\dfrac{4}{9}$입니다.
➔ $\square=2\dfrac{4}{9}+3\dfrac{7}{9}-1\dfrac{5}{9}=5\dfrac{11}{9}-1\dfrac{5}{9}=4\dfrac{6}{9}$

3 어떤 수에 $1\dfrac{5}{9}$를 빼고 $3\dfrac{7}{9}$을 더해야 할 것을 잘못하여 $1\dfrac{5}{9}$를 더하고 $3\dfrac{7}{9}$을 뺐더니 $2\dfrac{4}{9}$가 되었습니다. 바르게 계산한 값은 얼마인지 구해 보세요.

(1) 어떤 수를 구해 보세요.

($4\dfrac{6}{9}$)

(2) 바르게 계산한 값을 구해 보세요.

❖ $4\dfrac{6}{9}-1\dfrac{5}{9}+3\dfrac{7}{9}=3\dfrac{1}{9}+3\dfrac{7}{9}=6\dfrac{8}{9}$　　($6\dfrac{8}{9}$)

1. 분수의 덧셈과 뺄셈 · 13

유형 ⑤ 한 변의 길이 구하기 〔문제 해결〕

1 삼각형 모양 초콜릿의 세 변의 길이의 합과 정사각형 모양 쿠키의 네 변의 길이의 합이 같습니다. 쿠키의 한 변의 길이를 구하려고 합니다. 물음에 답하세요.

① 초콜릿의 세 변의 길이의 합은 몇 cm일까요?

($16\dfrac{4}{7}$ cm)

❖ $5\dfrac{4}{7}+5\dfrac{4}{7}+5\dfrac{3}{7}=10\dfrac{8}{7}+5\dfrac{3}{7}=11\dfrac{1}{7}+5\dfrac{3}{7}=16\dfrac{4}{7}$ (cm)

② 쿠키의 한 변의 길이를 □ cm로 하여 쿠키의 네 변의 길이의 합을 나타내는 식을 써 보세요.

③ 쿠키의 한 변의 길이는 몇 cm일까요?

($4\dfrac{1}{7}$ cm)

❖ ②의 식에서 4+4+4+4=16,

$\dfrac{1}{7}+\dfrac{1}{7}+\dfrac{1}{7}+\dfrac{1}{7}=\dfrac{4}{7}$ 이므로 쿠키의 한 변의 길이는 $4\dfrac{1}{7}$ cm입니다.

2 왼쪽 삼각형의 세 변의 길이의 합과 오른쪽 사각형의 네 변의 길이의 합이 같습니다. 삼각형의 세 변의 길이가 모두 같을 때, 삼각형의 한 변의 길이를 구해 보세요.

($3\dfrac{2}{8}$ cm)

❖ (사각형의 네 변의 길이의 합)

$=1\dfrac{4}{8}+3\dfrac{3}{8}+2\dfrac{2}{8}+2\dfrac{5}{8}=4\dfrac{7}{8}+2\dfrac{2}{8}+2\dfrac{5}{8}$

$=6\dfrac{9}{8}+2\dfrac{5}{8}=7\dfrac{1}{8}+2\dfrac{5}{8}=9\dfrac{6}{8}$ (cm)

삼각형의 한 변의 길이를 □ cm라 하면 삼각형의 세 변의 길이의 합은

□+□+□=$9\dfrac{6}{8}$입니다. 3+3+3=9, $\dfrac{2}{8}+\dfrac{2}{8}+\dfrac{2}{8}=\dfrac{6}{8}$이므로

삼각형의 한 변의 길이는 $3\dfrac{2}{8}$ cm입니다.

3 왼쪽 삼각형의 세 변의 길이의 합과 오른쪽 정사각형의 네 변의 길이의 합이 같습니다. 삼각형의 세 변의 길이가 같을 때, 삼각형의 한 변의 길이를 구해 보세요.

($3\dfrac{1}{9}$ cm)

❖ (정사각형의 네 변의 길이의 합)

$=2\dfrac{3}{9}+2\dfrac{3}{9}+2\dfrac{3}{9}+2\dfrac{3}{9}=4\dfrac{6}{9}+2\dfrac{3}{9}+2\dfrac{3}{9}$

$=6\dfrac{9}{9}+2\dfrac{3}{9}=7+2\dfrac{3}{9}=9\dfrac{3}{9}$ (cm)

삼각형의 한 변의 길이를 □ cm라 하면 삼각형의 세 변의 길이의 합은

□+□+□=$9\dfrac{3}{9}$입니다.

3+3+3=9, $\dfrac{1}{9}+\dfrac{1}{9}+\dfrac{1}{9}=\dfrac{3}{9}$이므로 삼각형의 한 변의 길이는 $3\dfrac{1}{9}$ cm입니다.

유형 ⑥ 식에 들어갈 수 있는 수 구하기 〔문제 해결〕

1 ♣는 같은 수를 나타냅니다. 두 식의 ♣ 안에 공통으로 들어갈 수 있는 자연수를 모두 구하려고 합니다. 물음에 답하세요.

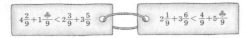

① 위 식을 간단하게 나타내려고 합니다. □ 안에 알맞은 수를 써넣으세요.

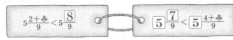

❖ · $2\dfrac{3}{9}+3\dfrac{5}{9}=5\dfrac{8}{9}$ · $2\dfrac{1}{9}+3\dfrac{6}{9}=5\dfrac{7}{9}$, $\dfrac{4}{9}+5\dfrac{♣}{9}=5\dfrac{4+♣}{9}$

② 왼쪽 식에서 ♣ 안에 들어갈 수 있는 자연수에 모두 ○표 하세요.

(①, ②, ③, ④, ⑤, 6, 7, 8)

❖ $5\dfrac{2+♣}{9}<5\dfrac{8}{9}$에서 2+♣<8이므로 ♣ 안에 들어갈 수 있는 자연수는 1, 2, 3, 4, 5입니다.

③ 오른쪽 식에서 ♣ 안에 들어갈 수 있는 자연수에 모두 ○표 하세요.

(1, 2, 3, ④, ⑤, ⑥, ⑦, ⑧)

❖ $5\dfrac{7}{9}<5\dfrac{4+♣}{9}$에서 7<4+♣이므로 ♣ 안에 들어갈 수 있는 자연수는 4, 5, 6, 7, 8입니다.

④ 두 식의 ♣ 안에 공통으로 들어갈 수 있는 자연수를 모두 써 보세요.

(4, 5)

❖ ②와 ③에서 ♣ 안에 공통으로 들어갈 수 있는 자연수는 4, 5입니다.

2 다음 수 중에서 □ 안에 들어갈 수 있는 수에 모두 ○표 하세요.

$$3\dfrac{4}{7}+2\dfrac{2}{7}<1\dfrac{□}{7}+4\dfrac{5}{7}$$

❖ $3\dfrac{4}{7}+2\dfrac{2}{7}=5\dfrac{6}{7}$, $1\dfrac{□}{7}+4\dfrac{5}{7}=5\dfrac{□+5}{7}$ (1, ②, ③, ④, ⑤, ⑥)

$5\dfrac{6}{7}<5\dfrac{□+5}{7}$에서 6<□+5이므로 □ 안에 들어갈 수 있는 자연수는 2, 3, 4, 5, 6입니다.

3 □ 안에 들어갈 수 있는 자연수는 모두 몇 개일까요?

$$4\dfrac{3}{10}+3\dfrac{2}{10}<\dfrac{□}{10}<9\dfrac{9}{10}-1\dfrac{4}{10}$$

❖ $4\dfrac{3}{10}+3\dfrac{2}{10}=7\dfrac{5}{10}$, $9\dfrac{9}{10}-1\dfrac{4}{10}=8\dfrac{5}{10}$ (9개)

→ $7\dfrac{5}{10}<\dfrac{□}{10}<8\dfrac{5}{10}$ → $\dfrac{75}{10}<\dfrac{□}{10}<\dfrac{85}{10}$ → 75<□<85

따라서 □ 안에 들어갈 수 있는 자연수는 76, 77, 78, 79, 80, 81, 82, 83, 84로 모두 9개입니다.

4 □ 안에 들어갈 수 있는 자연수를 모두 구해 보세요.

$$5\dfrac{□}{11}+3\dfrac{9}{11}<9\dfrac{5}{11}$$

❖ $5\dfrac{□}{11}+3\dfrac{9}{11}=8\dfrac{□+9}{11}$ (1, 2, 3, 4, 5, 6)

$8\dfrac{□+9}{11}<9\dfrac{5}{11}$ → $8\dfrac{□+9}{11}<8\dfrac{16}{11}$에서 □+9<16이므로

□ 안에 들어갈 수 있는 자연수는 1, 2, 3, 4, 5, 6입니다.

사고력 종합 평가

정답과 풀이 5쪽

1 □ 안에 알맞은 분수를 써넣으세요.

(1) $\boxed{3\frac{3}{5}}+4\frac{3}{5}=8\frac{1}{5}$

(2) $3\frac{5}{12}-\boxed{1\frac{8}{12}}=1\frac{9}{12}$

❖ (1) □$+4\frac{3}{5}=8\frac{1}{5}$ ➡ □$=8\frac{1}{5}-4\frac{3}{5}=7\frac{6}{5}-4\frac{3}{5}=3\frac{3}{5}$

(2) $3\frac{5}{12}-$□$=1\frac{9}{12}$ ➡ □$=3\frac{5}{12}-1\frac{9}{12}=2\frac{17}{12}-1\frac{9}{12}=1\frac{8}{12}$

2 □ 안에 알맞은 분수를 구해 보세요.

$$4\frac{6}{11}+\boxed{}=6\frac{3}{11}+1\frac{2}{11}$$

($2\frac{10}{11}$)

❖ $6\frac{3}{11}+1\frac{2}{11}=7\frac{5}{11}$이므로 식을 간단하게

나타내면 $4\frac{6}{11}+$□$=7\frac{5}{11}$입니다.

➡ □$=7\frac{5}{11}-4\frac{6}{11}=6\frac{16}{11}-4\frac{6}{11}=2\frac{10}{11}$

3 4명의 친구들이 벽에 기대어 나란히 서 있습니다. 은하와 예린이 사이의 거리가 $4\frac{5}{9}$ m

일 때, 은하와 소원이 사이의 거리는 몇 m일까요?

($1\frac{5}{9}$ m)

❖ (은하~소원)=(은하~예린)−(소원~신비)−(신비~예린)

$=4\frac{5}{9}-2\frac{1}{9}-\frac{8}{9}=2\frac{4}{9}-\frac{8}{9}$

$=1\frac{13}{9}-\frac{8}{9}=1\frac{5}{9}$ (m)

4 수직선에서 ⓒ과 ⓒ 사이의 거리를 구해 보세요.

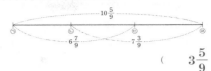

($3\frac{5}{9}$)

❖ (㉠~㉡)=(㉠~㉣)−(㉡~㉣)$=10\frac{5}{9}-7\frac{3}{9}=3\frac{2}{9}$

➡ (㉡~㉢)=(㉠~㉢)−(㉠~㉡)$=6\frac{7}{9}-3\frac{2}{9}=3\frac{5}{9}$

5 □ 안에 들어갈 수 있는 자연수를 모두 구해 보세요.

$$8\frac{5}{7}-5\frac{6}{7}>2\frac{\boxed{}}{7}$$

(1, 2, 3, 4, 5)

❖ $8\frac{5}{7}-5\frac{6}{7}=7\frac{12}{7}-5\frac{6}{7}=2\frac{6}{7}$이므로 식을 간단하게 나타

내면 $2\frac{6}{7}>2\frac{□}{7}$입니다.

따라서 □ 안에 들어갈 수 있는 자연수는 1, 2, 3, 4, 5입니다.

6 5장의 수 카드를 모두 한 번씩만 사용하여 분모의 수가 같은 대분수를 하나씩 만들
려고 합니다. 만들 수 있는 가장 작은 진분수와 가장 큰 대분수의 합과 차를 구해 보세요.

$$\boxed{9}\ \boxed{2}\ \boxed{9}\ \boxed{7}\ \boxed{5}$$

합 ($7\frac{7}{9}$)

차 ($7\frac{3}{9}$)

❖ 분모가 될 수 있는 수는 수 카드가 2장인 9입니다.

만들 수 있는 가장 작은 진분수: $\frac{2}{9}$, 만들 수 있는 가장 큰 대분수: $7\frac{5}{9}$

➡ 합: $\frac{2}{9}+7\frac{5}{9}=7\frac{7}{9}$, 차: $7\frac{5}{9}-\frac{2}{9}=7\frac{3}{9}$

사고력 종합 평가

정답과 풀이 5쪽

➡ 분모가 될 수 있는 수는 수 카드가 2장인 8입니다.

남은 수 카드의 수를 비교하면

$6>5>4>3>2>1$이므로 만들 수 있는 가장

7 8장의 수 카드 중에서 6장을 뽑아 한 번씩만 사용하여 분모가 같은 대분수를 만들
려고 합니다. 만들 수 있는 가장 큰 대분수와 가장 작은 대분수의 합을 구해 보세요.

$$\boxed{1}\ \boxed{4}\ \boxed{8}\ \boxed{3}\ \boxed{6}\ \boxed{5}\ \boxed{8}\ \boxed{2}$$

큰 대분수는 $6\frac{5}{8}$이고, 가장 작은 대분수는 $1\frac{2}{8}$입니다. ($7\frac{7}{8}$)

➡ $6\frac{5}{8}+1\frac{2}{8}=7\frac{7}{8}$

8 1부터 6까지의 수 카드가 각각 1장씩 있습니다. 6장의 수 카드 중에서 4장을 뽑아 한 번
씩만 사용하여 분모가 8이고 합이 가장 작은 대분수 2개를 만들고 두 수의 합을 구해 보
세요.

대분수 2개	합
(예) $1\frac{3}{8}$, $2\frac{4}{8}$	$3\frac{7}{8}$

❖ 수 카드의 수 중에서 가장 작은 수와 2번째로 작은 수는 자연수 부분에.
3번째로 작은 수와 4번째로 작은 수는 분자에 넣고 두 분수의 합을 구합니다.

9 양팔저울의 한쪽에는 무게가 각각 $1\frac{4}{6}$ kg, $2\frac{3}{6}$ kg인 책 2권이 올려져 있고 반대쪽에는

무게가 $\frac{5}{6}$ kg인 우산이 올려져 있습니다. 양팔저울이 어느 쪽으로도 기울지 않기 위해서
는 우산 옆에 몇 kg인 물건을 올려야 할까요?

($3\frac{2}{6}$ kg)

❖ 양팔저울이 어느 쪽으로도 기울지 않기 위해서는
양팔저울의 양쪽에 올려진 물건의 무게가 같아야 합니다.

(책 2권의 무게)$=1\frac{4}{6}+2\frac{3}{6}=3\frac{7}{6}=4\frac{1}{6}$ (kg)

➡ (우산 옆에 올려야 하는 물건의 무게)$=4\frac{1}{6}-\frac{5}{6}=3\frac{7}{6}-\frac{5}{6}=3\frac{2}{6}$ (kg)

10 어떤 수에 $2\frac{3}{7}$을 더하고 $3\frac{5}{7}$를 빼야 할 것을 잘못하여 $2\frac{3}{7}$을 빼고 $3\frac{5}{7}$를 더하였더니

$6\frac{2}{7}$가 되었습니다. 바르게 계산한 값은 얼마일까요?

$$\boxed{}-2\frac{3}{7}+3\frac{5}{7}=6\frac{2}{7}\ \rightarrow\ \boxed{}+2\frac{3}{7}-3\frac{5}{7}=?$$

($3\frac{5}{7}$)

❖ 어떤 수를 구하면 □$-2\frac{3}{7}+3\frac{5}{7}=6\frac{2}{7}$

➡ □$=6\frac{2}{7}-3\frac{5}{7}+2\frac{3}{7}=5\frac{9}{7}-3\frac{5}{7}+2\frac{3}{7}=2\frac{4}{7}+2\frac{3}{7}=4\frac{7}{7}=5$입니다.

바르게 계산하면 $5+2\frac{3}{7}-3\frac{5}{7}=7\frac{3}{7}-3\frac{5}{7}=6\frac{10}{7}-3\frac{5}{7}=3\frac{5}{7}$입니다.

11 □ 안에 들어갈 수 있는 자연수는 모두 몇 개인지 구해 보세요.

$$2\frac{4}{9}+3\frac{2}{9}<\frac{\boxed{}}{9}<7\frac{8}{9}-1\frac{2}{9}$$

(8개)

❖ $2\frac{4}{9}+3\frac{2}{9}=5\frac{6}{9}$, $7\frac{8}{9}-1\frac{2}{9}=6\frac{6}{9}$

➡ $5\frac{6}{9}<\frac{□}{9}<6\frac{6}{9}$ ➡ $\frac{51}{9}<\frac{□}{9}<\frac{60}{9}$이므로 □ 안에 들어갈 수

있는 자연수는 52, 53, 54, 55, 56, 57, 58, 59로 모두 8개입니다.

12 삼각형 모양 단추의 세 변의 길이의 합과 정사각형 모양 단추의 네 변의 길이의 합이 같
습니다. 정사각형 모양 단추의 한 변의 길이는 몇 cm인지 구해 보세요.

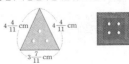

($3\frac{1}{11}$ cm)

❖ (삼각형 모양 단추의 세 변의 길이의 합)

$=4\frac{4}{11}+4\frac{4}{11}+3\frac{7}{11}=8\frac{8}{11}+3\frac{7}{11}=11\frac{15}{11}=12\frac{4}{11}$ (cm)

정사각형 모양 단추의 한 변의 길이를 □ cm라 하면

네 변의 길이의 합은 □+□+□+□$=12\frac{4}{11}$입니다.

$3+3+3+3=12$, $\frac{1}{11}+\frac{1}{11}+\frac{1}{11}+\frac{1}{11}=\frac{4}{11}$이므로

정사각형 모양 단추의 한 변의 길이는 $3\frac{1}{11}$ cm입니다.

사고력 종합 평가

정답과 풀이 6쪽

13 어떤 수에 $5\frac{3}{10}$을 더하고 $2\frac{9}{10}$를 빼야 할 것을 잘못하여 $5\frac{3}{10}$을 빼고 $2\frac{9}{10}$를 더했더니 $3\frac{4}{10}$가 되었습니다. 바르게 계산한 값은 얼마인지 구해 보세요.

($8\frac{2}{10}$)

❖ 어떤 수를 □라 하여 잘못 계산한 식을 써 보면
$$\square - 5\frac{3}{10} + 2\frac{9}{10} = 3\frac{4}{10} \text{ 입니다.}$$
$$\rightarrow \square = 3\frac{4}{10} - 2\frac{9}{10} + 5\frac{3}{10} = 2\frac{14}{10} - 2\frac{9}{10} + 5\frac{3}{10} = \frac{5}{10} + 5\frac{3}{10} = 5\frac{8}{10}$$
바르게 계산하면 $5\frac{8}{10} + 5\frac{3}{10} - 2\frac{9}{10} = 10\frac{11}{10} - 2\frac{9}{10} = 8\frac{2}{10}$입니다.

14 앞에서 보았을 때 지붕이 삼각형 모양이고 아래가 직사각형 모양인 집이 있습니다. 삼각형의 세 변의 길이의 합과 직사각형의 네 변의 길이의 합이 같을 때, 직사각형의 세로는 몇 m인지 구해 보세요.

($2\frac{2}{5}$ m)

❖ (삼각형의 세 변의 길이의 합)$= 2\frac{4}{5} + 2\frac{4}{5} + 4\frac{2}{5} = 4\frac{8}{5} + 4\frac{2}{5} = 5\frac{3}{5} + 4\frac{2}{5}$
$$= 9\frac{5}{5} = 10 \text{ (m)}$$

직사각형의 세로를 □ m라 하면 직사각형의 네 변의 길이의 합은
$$2\frac{3}{5} + \square + 2\frac{3}{5} + \square = 10, \ 4\frac{6}{5} + \square + \square = 10,$$
$$5\frac{1}{5} + \square + \square = 10,$$
$$\square + \square = 10 - 5\frac{1}{5} = 9\frac{5}{5} - 5\frac{1}{5} = 4\frac{4}{5},$$
$$\square = 2\frac{2}{5} \text{ 입니다.}$$

[GO! 매쓰]
여기까지 1단원 내용입니다.
다음부터는 2단원 내용이
시작합니다.

15 ♠는 같은 수를 나타냅니다. 다음 수 중에서 두 식의 ♠ 안에 공통으로 들어갈 수 있는 수에 모두 ○표 하세요.

(1 , 2 , ③ , ④ , ⑤ , 6 , 7 , 8 , 9 , 10)

❖ $\frac{3}{11} + 6\frac{\spadesuit}{11} = 6\frac{3+\spadesuit}{11}$, $8\frac{6}{11} - \frac{19}{11} = \frac{94}{11} - \frac{19}{11} = \frac{75}{11} = 6\frac{9}{11} \rightarrow 6\frac{3+\spadesuit}{11} < 6\frac{9}{11} \rightarrow 3+\spadesuit < 9$

· $\frac{94}{11} - 1\frac{2}{11} = \frac{94}{11} - \frac{13}{11} = \frac{81}{11} = 7\frac{4}{11}$, $4\frac{\spadesuit}{11} + 3\frac{2}{11} = 7\frac{\spadesuit+2}{11} \rightarrow 7\frac{4}{11} < 7\frac{\spadesuit+2}{11} \rightarrow 4 < \spadesuit+2$

따라서 ♠ 안에 공통으로 들어갈 수 있는 자연수는 2보다 크고 6보다 작은 3, 4, 5입니다.

유형 ❶ 삼각형의 이름 [추론]

정답과 풀이 6쪽

1 삼각형의 일부가 가려졌습니다. 이 삼각형의 이름을 알아보려고 할 때, 물음에 답하세요.

❶ 가려진 부분에 있는 각의 크기는 몇 도인지 구해 보세요.

($95°$)

❖ $180° - 45° - 40° = 95°$

❷ 빈칸에 가려진 부분에 있는 각의 크기를 써넣고, 삼각형의 세 각이 예각, 직각, 둔각 중에서 어느 것인지 각각 써 보세요.

45°	40°	95°
(예각)	(예각)	(둔각)

❖ 예각: 각도가 $0°$보다 크고 직각보다 작은 각
둔각: 각도가 직각보다 크고 $180°$보다 작은 각

❸ 이 삼각형의 이름을 써 보세요.

(둔각삼각형)

❖ 한 각이 둔각이므로 둔각삼각형입니다.

2 삼각형의 일부가 가려졌습니다. 이 삼각형의 이름을 모두 찾아 기호를 써 보세요.

| ㉠ 정삼각형 |
| ㉡ 이등변삼각형 |
| ㉢ 예각삼각형 |
| ㉣ 둔각삼각형 |

(㉡ , ㉣)

❖ 가려진 부분의 각의 크기는 $180° - 35° - 110° = 35°$입니다.
삼각형의 두 각의 크기가 같으므로 이등변삼각형이고, 한 각이 둔각이므로 둔각삼각형입니다.

3 두 각의 크기가 다음과 같은 삼각형의 이름을 모두 써 보세요.

70°, 55°

(이등변삼각형 , 예각삼각형)

❖ 나머지 한 각의 크기는 $180° - 70° - 55° = 55°$입니다.
삼각형의 두 각의 크기가 같으므로 이등변삼각형이고, 세 각이 모두 예각이므로 예각삼각형입니다.

4 민현이와 유정이가 각각 그린 삼각형의 세 각의 크기를 나타낸 것입니다. 같은 모양은 같은 수를 나타낼 때, 유정이가 그린 삼각형의 이름을 써 보세요.

(둔각삼각형)

❖ ■$° = 180° - 75° - 60° = 45°$
➜ 민현이가 그린 삼각형의 세 각의 크기는 $75°$, $60°$, $45°$이고 유정이가 그린 삼각형의 세 각의 크기는 $45°$, $35°$, ★°입니다.
★$° = 180° - 45° - 35° = 100°$
➜ 유정이가 그린 삼각형은 한 각이 둔각이므로 둔각삼각형입니다.

2
단원

유형 ② 펼친 삼각형의 세 변의 길이의 합 _{추론}

1 다음과 같이 정사각형 모양의 색종이를 반으로 접고 선을 그은 후, 선을 따라 잘랐습니다. 잘라낸 삼각형을 펼쳤을 때, 펼친 삼각형의 세 변의 길이의 합은 몇 cm인지 구하려고 합니다. 물음에 답하세요.

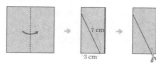

❶ 펼친 삼각형은 어떤 삼각형인지 알맞은 것에 ○표 하세요.

(정삼각형 , (이등변삼각형) , 세 변의 길이가 모두 다른 삼각형)

❖ 두 변의 길이가 같으므로 이등변삼각형입니다.

❷ 잘라낸 삼각형을 펼쳤을 때, □ 안에 알맞은 수를 써넣으세요.

❖ 잘라낸 삼각형을 펼치면 두 변의 길이는 7 cm이고, 한 변의 길이는 3×2=6 (cm)입니다.

❸ 펼친 삼각형의 세 변의 길이의 합은 몇 cm일까요?

(**20 cm**)

❖ 7+7+6=20 (cm)

2 다음과 같이 직사각형 모양의 색종이를 반으로 접고 선을 그은 후, 선을 따라 잘랐습니다. 잘라낸 삼각형을 펼쳤을 때, 펼친 삼각형의 세 변의 길이의 합은 몇 cm인지 구해 보세요.

(1) (2)

(**28 cm**) (**38 cm**)

❖ 펼친 삼각형의 세 변의 길이는 10 cm, 10 cm, 8 cm입니다.
→ (세 변의 길이의 합)
=10+10+8
=28 (cm)

❖ 펼친 삼각형의 세 변의 길이는 13 cm, 13 cm, 12 cm입니다.
→ (세 변의 길이의 합)
=13+13+12
=38 (cm)

3 다음과 같이 직사각형 모양의 색종이를 반으로 접고 선을 그은 후, 선을 따라 잘랐습니다. 잘라낸 삼각형을 펼쳤을 때, 펼친 삼각형의 세 변의 길이의 합은 몇 cm인지 구해 보세요.

(**45 cm**)

❖ 펼친 삼각형의 두 각의 크기가 각각 60°이므로 나머지 한 각은 180°−60°−60°=60°입니다.
따라서 한 변의 길이가 15 cm인 정삼각형이므로 세 변의 길이의 합은 15×3=45 (cm)입니다.

유형 ③ 정삼각형으로 만든 도형의 둘레 _{문제 해결}

1 세 변의 길이의 합이 24 cm인 정삼각형 모양 타일 5개를 그림과 같이 이어 붙였습니다. 빨간 선의 길이는 몇 cm인지 구하려고 할 때, 물음에 답하세요.

❶ 정삼각형 모양 타일의 한 변의 길이는 몇 cm일까요?

(**8 cm**)

❖ 정삼각형의 세 변의 길이는 모두 같고 세 변의 길이의 합이 24 cm이므로 한 변의 길이는 24÷3=8 (cm)입니다.

❷ 빨간 선의 길이는 정삼각형 모양 타일의 한 변의 길이의 몇 배일까요?

(**7배**)

❖ 빨간 선의 길이는 타일의 한 변의 길이의 7배입니다.

❸ 빨간 선의 길이는 몇 cm일까요?

(**56 cm**)

❖ 8×7=56 (cm)

2 세 변의 길이의 합이 30 cm인 정삼각형 8개를 변끼리 이어 붙여 만든 도형입니다. 이 도형의 둘레는 몇 cm인지 구해 보세요.

(**80 cm**)

❖ (정삼각형의 한 변의 길이)=30÷3=10 (cm)
도형의 둘레는 정삼각형의 한 변의 길이의 8배이므로 10×8=80 (cm)입니다.

3 세 변의 길이의 합이 33 cm인 정삼각형 10개를 변끼리 이어 붙여 만든 도형입니다. 이 도형의 둘레는 몇 cm인지 구해 보세요.

(**110 cm**)

❖ (정삼각형의 한 변의 길이)=33÷3=11 (cm)
도형의 둘레는 정삼각형의 한 변의 길이의 10배이므로 11×10=110 (cm)입니다.

4 한 변의 길이가 5 m인 정삼각형을 다음과 같은 규칙으로 변끼리 이어 붙여서 만든 다리입니다. 정삼각형 10개를 이어 붙인 도형의 둘레는 몇 m인지 구해 보세요.

(**60 m**)

정삼각형의 수(개)	1	2	3	4	……	10
도형의 둘레에 있는 정삼각형의 한 변의 수(개)	3	4	5	6	……	12

도형의 둘레는 정삼각형의 한 변의 길이의 12배이므로 5×12=60 (m)입니다.

유형 ④ 찾을 수 있는 삼각형의 수 　정보 처리

정답과 풀이 8쪽

1 승아는 길이가 같은 성냥개비로 그림과 같은 모양을 만들었습니다. 모양에서 찾을 수 있는 크고 작은 정삼각형은 모두 몇 개인지 구하려고 합니다. 물음에 답하세요.

① 위의 모양에서 찾을 수 있는 정삼각형을 모두 찾아 ○표 하세요.

② 위의 모양에서 찾을 수 있는 정삼각형의 수를 □ 안에 알맞게 써넣으세요.

작은 정삼각형 1개짜리 → 13 개, 작은 정삼각형 4개짜리 → 4 개

❖ 작은 정삼각형 1개짜리: ①, ②, ③, ④, ⑤, ⑥, ⑦, ⑧, ⑨, ⑩, ⑪, ⑫, ⑬ ➜ 13개
　작은 정삼각형 4개짜리: ①④⑤⑥, ③⑥⑦⑧, ⑥⑩⑪⑫, ⑤⑥⑦⑪ ➜ 4개

③ 찾을 수 있는 크고 작은 정삼각형은 모두 몇 개일까요?
❖ 13＋4＝17(개) 　(**17개**)

30 · Jump 4–2

2 도형에서 찾을 수 있는 크고 작은 예각삼각형은 모두 몇 개일까요?

(**6개**)

❖ ・삼각형 1개짜리: ①, ④, ⑤, ⑧ ➜ 4개
　・삼각형 4개짜리: ①③⑤⑥, ③④⑥⑧ ➜ 2개
　따라서 모두 4＋2＝6(개)입니다.

3 도형에서 찾을 수 있는 크고 작은 정삼각형은 모두 몇 개일까요?

(**32개**)

❖ ・작은 정삼각형 1개짜리: 18개
　・작은 정삼각형 4개짜리: 10개
　・작은 정삼각형 9개짜리: 4개
　➜ 18＋10＋4＝32(개)

4 도형에서 찾을 수 있는 크고 작은 둔각삼각형은 모두 몇 개일까요?

(**7개**)

❖ ・삼각형 1개짜리: ①, ④, ⑤ ➜ 3개
　・삼각형 2개짜리: ④⑤ ➜ 1개
　・삼각형 4개짜리: ①②③④, ②③④⑤ ➜ 2개
　・삼각형 5개짜리: ①②③④⑤ ➜ 1개
　따라서 모두 3＋1＋2＋1＝7(개)입니다.

2 단원

2. 삼각형 · 31

유형 ⑤ 사각형의 네 변의 길이의 합 　문제 해결

정답과 풀이 8쪽

1 삼각형 ㄱㄴㄷ은 정삼각형이고 삼각형 ㄱㄷㄹ은 이등변삼각형입니다. 사각형 ㄱㄴㄷㄹ의 네 변의 길이의 합은 몇 cm인지 구하려고 합니다. 물음에 답하세요.

① 변 ㄱㄴ과 변 ㄴㄷ의 길이는 각각 몇 cm일까요?
변 ㄱㄴ (**6 cm**)
변 ㄴㄷ (**6 cm**)
❖ 삼각형 ㄱㄴㄷ은 정삼각형이므로 변 ㄱㄴ과 변 ㄴㄷ의 길이는 각각 6 cm입니다.

② 변 ㄱㄹ의 길이는 몇 cm일까요?
　(**11 cm**)
❖ 삼각형 ㄱㄷㄹ은 이등변삼각형이므로 변 ㄱㄹ의 길이는 11 cm입니다.

③ 사각형 ㄱㄴㄷㄹ의 네 변의 길이의 합은 몇 cm일까요?
　(**34 cm**)
❖ (사각형 ㄱㄴㄷㄹ의 네 변의 길이의 합)
　＝(변 ㄱㄴ)＋(변 ㄴㄷ)＋(변 ㄷㄹ)＋(변 ㄹㄱ)
　＝6＋6＋11＋11＝34 (cm)

32 · Jump 4–2

2 삼각형 ㄱㄴㄷ은 정삼각형이고 삼각형 ㄱㄷㄹ은 이등변삼각형입니다. 사각형 ㄱㄴㄷㄹ의 네 변의 길이의 합이 46 cm일 때 변 ㄱㄹ의 길이는 몇 cm일까요?

(**14 cm**)

❖ 삼각형 ㄱㄴㄷ은 정삼각형이므로
　(변 ㄴㄷ)＝(변 ㄱㄴ)＝9 cm입니다.
　사각형 ㄱㄴㄷㄹ에서 (변 ㄱㄹ)＋(변 ㄷㄹ)＝46－9－9＝28 (cm)이고,
　삼각형 ㄱㄷㄹ은 이등변삼각형이므로
　(변 ㄱㄹ)＝(변 ㄷㄹ)＝28÷2＝14 (cm)입니다.

3 삼각형 ㄱㄴㄷ은 이등변삼각형이고 삼각형 ㄱㄷㄹ은 정삼각형입니다. 삼각형 ㄱㄷㄹ의 세 변의 길이의 합이 30 cm일 때 사각형 ㄱㄴㄷㄹ의 네 변의 길이의 합은 몇 cm일까요?

(**46 cm**)

❖ 삼각형 ㄱㄷㄹ은 정삼각형이므로
　(변 ㄱㄷ)＝(변 ㄷㄹ)＝(변 ㄱㄹ)＝30÷3＝10 (cm)입니다.
　삼각형 ㄱㄴㄷ은 이등변삼각형이므로 (변 ㄴㄷ)＝(변 ㄱㄷ)＝10 cm입니다.
　➜ (사각형 ㄱㄴㄷㄹ의 네 변의 길이의 합)＝16＋10＋10＋10＝46 (cm)

4 삼각형 ㄱㄴㄷ은 이등변삼각형이고 삼각형 ㄱㄷㄹ은 정삼각형입니다. 삼각형 ㄱㄴㄷ의 세 변의 길이의 합이 38 cm일 때 사각형 ㄱㄴㄷㄹ의 네 변의 길이의 합은 몇 cm일까요?

❖ 삼각형 ㄱㄴㄷ은 이등변삼각형이므로
　(변 ㄱㄴ)＋(변 ㄱㄷ)
　＝38－8＝30 (cm),
　(변 ㄱㄴ)＝(변 ㄱㄷ)＝30÷2＝15 (cm)입니다.
　삼각형 ㄱㄷㄹ은 정삼각형이므로
　(변 ㄷㄹ)＝(변 ㄱㄹ)＝(변 ㄱㄷ)＝15 cm입니다.
　➜ (사각형 ㄱㄴㄷㄹ의 네 변의 길이의 합)＝15＋8＋15＋15＝53 (cm)

(**53 cm**)

2 단원

2. 삼각형 · 33

유형 6 이등변삼각형과 정삼각형의 각도 문제 해결

정답과 풀이 9쪽

1 삼각형 ㄱㄴㄹ은 정삼각형이고 삼각형 ㄴㄷㄹ은 이등변삼각형입니다. 각 ㄱㄴㄷ의 크기를 구하려고 할 때, 물음에 답하세요.

❶ 각 ㄱㄹㄴ의 크기는 몇 도일까요?

(**60°**)

❖ 삼각형 ㄱㄴㄹ은 정삼각형이므로 각 ㄱㄹㄴ의 크기는 60°입니다.

❷ 각 ㄴㄹㄷ의 크기는 몇 도일까요?

(**120°**)

❖ 직선이 이루는 각의 크기는 180°이므로
(각 ㄴㄹㄷ)=180°−60°=120°입니다.

❸ 각 ㄹㄴㄷ의 크기는 몇 도일까요?

(**30°**)

❖ 삼각형 ㄹㄴㄷ은 이등변삼각형이고
(각 ㄹㄴㄷ)+(각 ㄹㄷㄴ)=180°−120°=60°입니다.
➜ (각 ㄹㄴㄷ)=60°÷2=30°

❹ 각 ㄱㄴㄷ의 크기는 몇 도일까요?

(**90°**)

❖ (각 ㄱㄴㄷ)=(각 ㄱㄴㄹ)+(각 ㄹㄴㄷ)=60°+30°=90°

34 · **Jump** 4-2

2 삼각형 ㄱㄴㄷ은 이등변삼각형입니다. 각 ㄱㄴㄷ의 크기를 구해 보세요.

(**115°**)

❖ 삼각형 ㄱㄴㄷ은 이등변삼각형이므로
(각 ㄱㄴㄷ)+(각 ㄱㄷㄴ)=180°−50°=130°,
(각 ㄱㄷㄴ)=130°÷2=65°입니다.
따라서 (각 ㄱㄴㄹ)=180°−65°=115°입니다.

3 삼각형 ㄱㄹㄷ은 정삼각형이고 삼각형 ㄱㄷㄷ은 이등변삼각형입니다. 각 ㄹㄱㄴ의 크기를 구해 보세요.

(**25°**)

❖ 삼각형 ㄱㄹㄷ은 이등변삼각형이므로
(각 ㄷㄹㄹ)+(각 ㄱㄷㄹ)
=180°−110°=70°,
(각 ㄷㄱㄹ)=70°÷2=35°입니다.
삼각형 ㄱㄷㄷ은 정삼각형이므로 (각 ㄷㄱㄴ)=60°입니다.
➜ (각 ㄹㄱㄴ)=(각 ㄷㄱㄴ)−(각 ㄷㄱㄹ)=60°−35°=25°

4 삼각형 ㄱㄴㄷ과 삼각형 ㄱㄷㄹ은 이등변삼각형입니다. 각 ㄴㄱㄹ의 크기를 구해 보세요.

(**105°**)

❖ 삼각형 ㄱㄷㄹ은
이등변삼각형이므로
(각 ㄷㄱㄹ)+(각 ㄷㄹㄱ)
=180°−40°=140°,
(각 ㄷㄱㄹ)=(각 ㄷㄹㄱ)=140°÷2=70°입니다.
(각 ㄱㄷㄴ)=180°−70°=110°이고 삼각형 ㄱㄴㄷ은 이등변삼각형이므로
(각 ㄱㄴㄷ)+(각 ㄴㄱㄷ)=180°−110°=70°,
(각 ㄴㄱㄷ)=70°÷2=35°입니다.
➜ (각 ㄴㄱㄹ)=(각 ㄴㄱㄷ)+(각 ㄷㄱㄹ)=35°+70°=105°

2. 삼각형 · 35

사고력 종합 평가

정답과 풀이 9쪽

1 똑같은 정삼각형 2개를 변끼리 이어 붙여 사각형을 만들었습니다. 이 사각형의 네 변의 길이의 합은 몇 cm일까요?

(**36 cm**)

❖ 정삼각형은 세 변의 길이가 모두 같으므로 만든 사각형의 네 변의 길이는 모두 같습니다.
➜ (사각형의 네 변의 길이의 합)=9×4=36 (cm)

2 그림과 같이 오각형의 꼭짓점을 이으면 예각삼각형과 둔각삼각형은 각각 몇 개 생기는지 구해 보세요.

예각삼각형 (**1개**)
둔각삼각형 (**2개**)

3 삼각형 모양인 천의 일부가 찢어졌습니다. 찢어지기 전 천의 모양은 예각삼각형, 직각삼각형, 둔각삼각형 중 어떤 삼각형이었는지 써 보세요.

(**둔각삼각형**)

❖ 찢어진 부분에 있는 각의 크기는 180°−40°−35°=105°입니다.
➜ 한 각이 둔각이므로 둔각삼각형입니다.

36 · **Jump** 4-2

4 점 ㄱ과 점 ㄴ은 각각 원의 중심입니다. 삼각형 ㄱㄴㄷ의 이름이 될 수 있는 것에 모두 ○표 하세요.

❖ 두 원의 크기가 같고 삼각형의 세 변은 원의 반지름이므로
(변 ㄱㄴ)=(변 ㄴㄷ)=(변 ㄱㄷ)
입니다.

| 이등변삼각형 | 정삼각형 |
| 예각삼각형 | 직각삼각형 | 둔각삼각형 |

➜ 세 변의 길이가 모두 같으므로 정삼각형이고, 정삼각형은 이등변삼각형이라고 할 수 있습니다. 세 각이 모두 예각이므로 예각삼각형입니다.

5 똑같은 정삼각형 10개를 변끼리 이어 붙여 만든 도형입니다. 이 도형의 둘레가 60 cm일 때 정삼각형의 세 변의 길이의 합은 몇 cm일까요?

(**18 cm**)

❖ 도형의 둘레는 정삼각형의 한 변의 길이의 10배이므로
정삼각형의 한 변의 길이는 60÷10=6 (cm)입니다.
➜ (정삼각형의 세 변의 길이의 합)=6×3=18 (cm)

6 다음과 같이 직사각형 모양의 색종이를 반으로 접고 선을 그은 후, 선을 따라 잘랐습니다. ㉠은 몇 cm인지 구해 보세요.

(**8 cm**)

❖ 펼친 삼각형의 두 각의 크기가 각각 60°이므로
나머지 한 각의 크기는 180°−60°−60°=60°입니다.
따라서 잘라낸 삼각형은 정삼각형이므로 ㉠=4×2=8 (cm)입니다.

2. 삼각형 · 37

정답과 풀이 10쪽

사고력 총합 평가

7 유상이는 같은 길이의 실 2개로 각각 이등변삼각형과 정삼각형을 만들려고 합니다. 정삼각형의 한 변의 길이는 몇 cm로 해야 할까요?

(**9 cm**)

✧ (이등변삼각형의 세 변의 길이의 합)
$=10+10+7=27$ (cm)
➜ (정삼각형 한 변의 길이)$=27\div3=9$ (cm)

8 도형에서 찾을 수 있는 크고 작은 둔각삼각형은 모두 몇 개일까요?

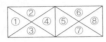

(**6개**)

✧ · 삼각형 1개짜리: ②, ③, ⑥, ⑦ ➜ 4개
· 삼각형 4개짜리: ②④⑤⑥, ③④⑤⑦ ➜ 2개
따라서 모두 $4+2=6$(개)입니다.

9 삼각형 ㄱㄴㄷ은 이등변삼각형입니다. 각 ㄱㄴㄹ의 크기를 구해 보세요.

(**56°**)

✧ 삼각형 ㄱㄴㄷ은 이등변삼각형이므로 (각 ㄷㄴㄱ)=(각 ㄱㄷㄴ)=28°입니다.
(각 ㄴㄱㄷ)$+28°+28°=180°$ ➜ (각 ㄴㄱㄷ)$=180°-28°-28°=124°$
따라서 (각 ㄱㄴㄹ)$=180°-124°=56°$입니다.

10 다음과 같은 수수깡 3개를 각 변으로 하여 만들 수 있는 삼각형의 이름을 모두 써 보세요.

15 cm
15 cm
10 cm

(**이등변삼각형** , **예각삼각형**)

· 두 변의 길이가 같으므로 이등변삼각형입니다.
· 세 각이 모두 예각이므로 예각삼각형입니다.

11 칠교판에서 찾을 수 있는 크고 작은 이등변삼각형은 모두 몇 개일까요?

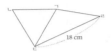

(**7개**)

✧ · 1개짜리: ①, ②, ③, ⑤, ⑦ ➜ 5개
· 2개짜리: ①② ➜ 1개
· 5개짜리: ③④⑤⑥⑦ ➜ 1개
따라서 모두 $5+1+1=7$(개)입니다.

12 삼각형 ㄱㄴㄷ은 정삼각형이고 삼각형 ㄱㄷㄹ은 이등변삼각형입니다. 삼각형 ㄱㄴㄷ의 세 변의 길이의 합이 33 cm일 때 사각형 ㄱㄴㄷㄹ의 네 변의 길이의 합은 몇 cm일까요?

18 cm

(**51 cm**)

✧ 삼각형 ㄱㄴㄷ은 정삼각형이므로
(변 ㄱㄴ)=(변 ㄴㄷ)=(변 ㄱㄷ)$=33\div3=11$ (cm)입니다.
삼각형 ㄱㄷㄹ은 이등변삼각형이므로
(변 ㄱㄹ)=(변 ㄱㄷ)=11 cm입니다.
➜ (사각형 ㄱㄴㄷㄹ의 네 변의 길이의 합)$=11+11+18+11=51$ (cm)

정답과 풀이 10쪽

사고력 총합 평가

13 삼각형 ㄱㄴㄷ은 이등변삼각형이고 삼각형 ㄷㄹㅁ은 정삼각형입니다. 각 ㄱㄷㅁ의 크기를 구해 보세요.

(**40°**)

14 삼각형 ㄱㄴㄷ과 삼각형 ㄱㄹㅁ은 정삼각형입니다. 선분 ㄴㄹ의 길이는 선분 ㄱㄴ의 길이의 2배일 때 사각형 ㄴㄹㅁㄷ의 네 변의 길이의 합은 몇 cm일까요?

12 cm

(**32 cm**)

15 삼각형 ㄱㄴㄷ과 삼각형 ㄱㄷㄹ은 이등변삼각형입니다. 각 ㄴㄱㄹ의 크기를 구해 보세요.

3 cm
3 cm 52°

(**172°**)

✧ 삼각형 ㄱㄴㄷ은 이등변삼각형이므로 (각 ㄱㄷㄴ)=(각 ㄱㄴㄷ)=36°이고
(각 ㄴㄱㄷ)$=180°-36°-36°=108°$입니다.
삼각형 ㄱㄷㄹ은 이등변삼각형이므로 (각 ㄹㄱㄷ)+(각 ㄱㄹㄷ)$=180°-52°=128°$,
(각 ㄹㄱㄷ)=(각 ㄱㄹㄷ)$=128°\div2=64°$입니다.
➜ (각 ㄴㄱㄹ)=(각 ㄴㄱㄷ)+(각 ㄹㄱㄷ)$=108°+64°=172°$

✧ 삼각형 ㄱㄴㄷ은 이등변삼각형이므로
(각 ㄱㄴㄷ)+(각 ㄱㄷㄴ)$=180°-20°=160°$,
(각 ㄱㄷㄴ)$=160°\div2=80°$입니다.
삼각형 ㄷㄹㅁ은 정삼각형이므로 (각 ㅁㄷㄹ)=60°입니다.
➜ (각 ㄱㄷㅁ)$=180°-80°-60°=40°$

✧ 선분 ㄱㄴ의 길이를 □ cm라 하면 (선분 ㄴㄹ)=(□+□) cm입니다.
삼각형 ㄱㄹㅁ은 한 변의 길이가 12 cm인 정삼각형이므로
(변 ㄱㄹ)=□+□+□=12, □=4입니다.
➜ (선분 ㄴㄹ)=(선분 ㄷㅁ)$=4+4=8$ (cm)
➜ (사각형 ㄴㄹㅁㄷ의 네 변의 길이의 합)
$=$(변 ㄴㄹ)+(변 ㄹㅁ)+(변 ㅁㄷ)+(변 ㄷㄴ)
$=8+12+8+4=32$ (cm)

[GO! 매쓰]
여기까지 2단원 내용입니다.
다음부터는 3단원 내용이
시작합니다.

유형 ① 초기에 사용했던 소수의 모양 창의·융합

1 네덜란드의 수학자 시몬 스테빈은 계산을 좀더 쉽게 하기 위해 고민하던 중 소수를 만들었습니다. 스테빈은 다음과 같이 소수점은 ◎으로, 소수 첫째 자리는 ①, 둘째 자리는 ②, 셋째 자리는 ③으로 나타내었습니다.

예 4.519 ➡ 4◎5①1②9③

스테빈의 방법으로 나타낸 수를 보고 현재의 소수로 나타내려고 합니다. 물음에 답하세요.

❶

| 4◎5①2② | (**4.52**) |

❖ 4◎5①2② ➡ 4.52

소수점
소수 첫째 자리 수
소수 둘째 자리 수

❷

| 3◎9①3②6③ | (**3.936**) |

❖ 3◎9①3②6③
 3 . 9 3 6

❸

| 6◎2①1②8③ | (**6.218**) |

❖ 6◎2①1②8③
 6 . 2 1 8

42 · Jump 4-2

2 2◎5①1②3③의 10배인 수를 구하려고 합니다. 빈칸에 알맞은 수를 써넣으세요.

스테빈의 방법으로 나타낸 소수	현재의 소수
2◎5①1②3③	**2.513**
2◎5①1②3③의 10배	**25.13**

10배

❖ 2◎5①1②3③
 2 . 5 1 3
 2.513의 10배인 수는 25.13입니다.

3 7◎2②4③의 100배인 수를 현재의 소수로 써 보세요.

(**702.4**)

❖ 7◎2②4③
 7 . 0 2 4
 7.024의 100배인 수는 702.4입니다.

4 6◎2①2②의 $\frac{1}{10}$인 수는 어떤 수인지 현재의 소수로 써 보세요.

(**0.622**)

❖ 6◎2①2②
 6 . 2 2
 6.22의 $\frac{1}{10}$인 수는 0.622입니다.

3. 소수의 덧셈과 뺄셈 · 43

유형 ② 잘못 계산한 식에서 어떤 수 구하기 문제 해결

1 어떤 수에서 4.59를 빼야 할 것을 잘못하여 더했더니 10.42가 되었습니다. 바르게 계산한 값과 잘못 계산한 값의 차를 구하려고 합니다. 물음에 답하세요.

4.59를 빼야 하는데 더했더니 10.42가 되었어.

잘못 계산했구나! 어떤 수에 더한 거야? 다시 바르게 계산해 봐.

❶ 어떤 수를 □로 하여 잘못 계산한 식을 써 보세요.

예 □+4.59=10.42

❷ 어떤 수를 구해 보세요.

(**5.83**)

❖ □=10.42-4.59=5.83

❸ 바르게 계산한 값을 구해 보세요.

(**1.24**)

❖ 5.83-4.59=1.24

❹ 바르게 계산한 값과 잘못 계산한 값의 차를 구해 보세요.

(**9.18**)

❖ 10.42-1.24=9.18

44 · Jump 4-2

2 어떤 수에 3.76을 더했더니 5.85가 되었습니다. 어떤 수를 구해 보세요.

□+3.76=5.85

(**2.09**)

❖ □+3.76=5.85 ➡ □=5.85-3.76=2.09

3 어떤 수에 2.5를 더해야 할 것을 잘못하여 뺐더니 8.9가 되었습니다. 바르게 계산한 값을 구해 보세요.

(**13.9**)

❖ 어떤 수를 □라 하면 □-2.5=8.9, □=8.9+2.5=11.4
 입니다.
 따라서 바르게 계산한 값은 11.4+2.5=13.9입니다.

4 어떤 수의 $\frac{1}{10}$을 구해야 하는데 잘못하여 $\frac{1}{100}$을 구했더니 4.79가 되었습니다. 바르게 계산한 값을 구해 보세요.

(**47.9**)

❖ 어떤 수의 $\frac{1}{100}$은 4.79이므로 어떤 수는 4.79의 100배인
 479입니다.
 479의 $\frac{1}{10}$은 47.9입니다.

3. 소수의 덧셈과 뺄셈 · 45

유형 ③ 겹치는 부분이 있는 경우의 길이 구하기 문제 해결

1 색 테이프 3장을 다음과 같이 겹치는 부분의 길이가 같도록 길게 이어 붙였습니다. 이어 붙여서 만든 색 테이프의 전체 길이는 몇 cm인지 구하려고 합니다. 물음에 답하세요.

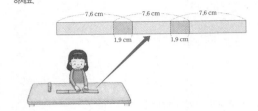

❶ 색 테이프 3장의 길이의 합은 몇 cm일까요?

(**22.8 cm**)

❖ 7.6＋7.6＋7.6＝15.2＋7.6＝22.8 (cm)

❷ 겹쳐져 있는 두 부분의 길이의 합은 몇 cm일까요?

(**3.8 cm**)

❖ 1.9＋1.9＝3.8 (cm)

❸ 이어 붙여서 만든 색 테이프의 전체 길이는 몇 cm일까요?

(**19 cm**)

❖ 22.8－3.8＝19 (cm)

46 · Jump 4-2

2 ㉡에서 ㉢까지의 거리는 몇 km인지 구해 보세요.

(**1.84 km**)

❖ (㉡~㉢)＝(㉠~㉢)＋(㉡~㉣)－(㉠~㉣)
＝3.79＋4.53－6.48
＝8.32－6.48
＝1.84 (km)

3 다음은 공원의 지도입니다. 정자에서 숲까지의 거리는 몇 km인지 구해 보세요.

(**2.44 km**)

❖ 1.45－0.28＋1.27＝1.17＋1.27＝2.44 (km)

4 색 테이프 3장을 다음과 같이 겹치게 이어 붙였습니다. 이어 붙인 색 테이프 전체 길이는 몇 cm인지 구해 보세요.

❖ (색 테이프 3장의 길이의 합)   (**37.03 cm**)
＝13.56＋15.38＋12.17＝28.94＋12.17＝41.11
(겹친 부분의 길이의 합)＝1.92＋2.16＝4.08 (cm)
(이어 붙인 색 테이프의 전체 길이)＝41.11－4.08
＝37.03 (cm)

3. 소수의 덧셈과 뺄셈 · 47

유형 ④ 카드로 만든 소수의 계산 문제 해결

1 카드를 한 번씩 모두 사용하여 소수 두 자리 수를 만들 때 만들 수 있는 가장 큰 수와 가장 작은 수의 합을 구하려고 합니다. 물음에 답하세요.

5 2 7 4 .

❶ 만들 수 있는 가장 큰 소수 두 자리 수를 구해 보세요.

(**75.42**)

❖ □□□.□□의 왼쪽부터 큰 수를 써넣습니다.
7＞5＞4＞2이므로 가장 큰 소수 두 자리 수는 75.42입니다.

❷ 만들 수 있는 가장 작은 소수 두 자리 수를 구해 보세요.

(**24.57**)

❖ □□□.□□의 왼쪽부터 작은 수를 써넣습니다.
2＜4＜5＜7이므로 가장 작은 소수 두 자리 수는 24.57입니다.

❸ 만들 수 있는 가장 큰 소수 두 자리 수와 가장 작은 소수 두 자리 수의 합을 구해 보세요.

(**99.99**)

❖ 75.42＋24.57＝99.99

48 · Jump 4-2

2 카드를 한 번씩 모두 사용하여 소수 두 자리 수를 만들려고 합니다. 만들 수 있는 가장 큰 수와 가장 작은 수의 합을 구해 보세요.

3 4 7 .

(**10.9**)

❖ 만들 수 있는 가장 큰 수: 7.43
만들 수 있는 가장 작은 수: 3.47
➔ 7.43＋3.47＝10.9

3 카드를 한 번씩 모두 사용하여 소수 두 자리 수를 만들려고 합니다. 만들 수 있는 가장 큰 수와 가장 작은 수의 차를 구해 보세요.

2 4 5 9 .

(**70.83**)

❖ 만들 수 있는 가장 큰 수: 95.42
만들 수 있는 가장 작은 수: 24.59
➔ 95.42－24.59＝70.83

4 카드를 한 번씩 모두 사용하여 가장 큰 소수 두 자리 수와 가장 작은 소수 세 자리 수를 동시에 만들려고 합니다. 두 수의 합을 구해 보세요.

1 6 0 2 9 4 7 . .

(**9.884**)

❖ 수의 크기를 비교하면 9＞7＞6＞4＞2＞1＞0입니다.
동시에 만들 수 있는 가장 큰 소수 두 자리 수는 9.76이고, 가장 작은 소수 세 자리 수는 0.124입니다.

$$\begin{array}{r} 9.7\,6 \\ +\ 0.1\,2\,4 \\ \hline 9.8\,8\,4 \end{array}$$

3. 소수의 덧셈과 뺄셈 · 49

유형 ⑤ 소수의 관계를 이용하여 문제 해결하기 [정보 처리]

정답과 풀이 13쪽

1 ㉠, ㉡, ㉢에 알맞은 수의 합을 구하려고 합니다. 물음에 답하세요.

- 4.9는 0.49의 ㉠배입니다.
- 520은 5.2의 ㉡배입니다.
- 17.4는 0.174의 ㉢배입니다.

❶ ㉠에 알맞은 수를 구해 보세요.

(**10**)

✤ 4.9는 0.49에서 소수점을 기준으로 수가 왼쪽으로 한 자리 이동했으므로 4.9는 0.49의 10배입니다. ➡ ㉠=10

❷ ㉡에 알맞은 수를 구해 보세요.

(**100**)

✤ 520은 5.2에서 소수점을 기준으로 수가 왼쪽으로 두 자리 이동했으므로 520은 5.2의 100배입니다. ➡ ㉡=100

❸ ㉢에 알맞은 수를 구해 보세요.

(**100**)

✤ 17.4는 0.174에서 소수점을 기준으로 수가 왼쪽으로 두 자리 이동했으므로 17.4는 0.174의 100배입니다. ➡ ㉢=100

❹ ㉠, ㉡, ㉢에 알맞은 수의 합을 구해 보세요.

(**210**)

✤ ㉠+㉡+㉢=10+100+100=210

2 ㉠이 나타내는 수는 ㉡이 나타내는 수의 몇 배인지 구해 보세요.

- ㉠ 4.17의 100배인 수
- ㉡ 41.7의 $\frac{1}{10}$인 수

(**100배**)

✤ ㉠ 417 ㉡ 4.17
417은 4.17에서 소수점을 기준으로 수가 왼쪽으로 두 자리 이동했으므로 417은 4.17의 100배입니다.

3 용빈이가 말하는 수와 지호가 말하는 수의 합을 구해 보세요.

㉠ 3.164의 100배인 수 용빈

㉡ 316.4의 $\frac{1}{10}$인 수 지호

(**348.04**)

✤ ㉠ 316.4 ㉡ 31.64
➡ 316.4+31.64=348.04

유형 ⑥ 조건을 모두 만족하는 수 구하기 [추론]

정답과 풀이 13쪽

1 조건을 모두 만족하는 수를 구하려고 합니다. 물음에 답하세요.

조건
① 소수 세 자리 수입니다.
② 2보다 크고 3보다 작습니다.
③ 일의 자리 수와 소수 첫째 자리 수의 합은 6입니다.
④ 소수 둘째 자리 숫자는 0입니다.
⑤ 소수 셋째 자리 숫자는 가장 작은 홀수입니다.

❶ 일의 자리 수를 구해 보세요.

(**2**)

✤ 조건 ②에서 2보다 크고 3보다 작은 수이므로 일의 자리 수는 2입니다.

❷ 소수 첫째 자리 수를 구해 보세요.

(**4**)

✤ 소수 첫째 자리 수를 □라 할 때 조건 ③에서 2+□=6
➡ □=6-2=4입니다.

❸ 소수 셋째 자리 수를 구해 보세요.

(**1**)

✤ 조건 ⑤에서 소수 셋째 자리 수는 홀수 중에서 가장 작은 수인 1입니다.

❹ 조건을 모두 만족하는 수를 구해 보세요.

(**2.401**)

✤ 조건을 모두 만족하는 소수 세 자리 수는 2.401입니다.

2 조건을 모두 만족하는 수를 구해 보세요.

조건
· 소수 두 자리 수입니다.
· 7보다 크고 8보다 작습니다.
· 소수 첫째 자리 숫자는 3입니다.
· 소수 둘째 자리 숫자는 5입니다.

(**7.35**)

✤ 7보다 크고 8보다 작은 수이므로 일의 자리 숫자는 7입니다.
따라서 일의 자리 숫자가 7, 소수 첫째 자리 숫자가 3, 소수 둘째 자리 숫자가 5인 소수 두 자리 수를 구하면 7.35입니다.

3 조건을 모두 만족하는 수를 구해 보세요.

조건
· 소수 세 자리 수입니다.
· 4보다 크고 5보다 작습니다.
· 소수 첫째 자리 숫자는 7입니다.
· 소수 둘째 자리 숫자는 일의 자리 수보다 2만큼 더 작습니다.
· 소수 셋째 자리 숫자는 일의 자리 숫자와 같습니다.

(**4.724**)

✤ 4보다 크고 5보다 작은 소수 세 자리 수는 4.□□□입니다.
소수 둘째 자리 숫자는 4-2=2입니다.
소수 셋째 자리 숫자는 일의 자리 숫자와 같으므로 4입니다.
따라서 조건을 모두 만족하는 수는 4.724입니다.

사고력 종합 평가

정답과 풀이 14쪽

1 스테빈의 방법으로 소수를 나타낸 것입니다. 이 소수의 100배인 수를 현재의 소수로 나타내어 보세요.

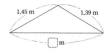

(**729.3**)

❖ 7⓪2①9②③③
7.293
7.293의 100배인 수는 729.3입니다.

2 다음 삼각형의 세 변의 길이의 합이 5.27 m일 때 □ 안에 알맞은 수를 구해 보세요.

1.45 m   1.39 m

□ m

(**2.43**)

❖ 1.45+1.39+□=5.27
□=5.27−1.45−1.39=3.82−1.39=2.43

3 어떤 수에서 5.94를 빼야 할 것을 잘못하여 더했더니 12.760이 되었습니다. 바르게 계산한 값을 구해 보세요.

(**0.88**)

❖ 어떤 수를 □라 하면 □+5.94=12.76입니다.
□=12.76−5.94=6.82
따라서 바르게 계산한 값은 6.82−5.94=0.88입니다.

4 4장의 카드를 한 번씩 모두 사용하여 소수를 만들려고 합니다. 만들 수 있는 가장 큰 소수 한 자리 수와 가장 작은 소수 두 자리 수의 합을 구해 보세요.

(**88.88**)

❖ 가장 큰 소수 한 자리 수: 85.3,
가장 작은 소수 두 자리 수: 3.58
➡ 85.3+3.58=88.88

5 ㉠이 나타내는 수는 ㉡이 나타내는 수의 몇 배인지 구해 보세요.

㉠ 0.375의 1000배인 수
㉡ 37.5의 $\frac{1}{100}$인 수

(**1000배**)

❖ ㉠ 375, ㉡ 0.375입니다.
375는 0.375의 1000배입니다.

6 ㉠에서 ㉣까지의 거리는 몇 km인지 구해 보세요.

(**5.9 km**)

❖ (㉠~㉣)=(㉠~㉢)+(㉡~㉣)−(㉡~㉢)
=3.79+4.25−2.14
=8.04−2.14
=5.9 (km)

사고력 종합 평가

정답과 풀이 14쪽

7 □ 안에 알맞은 수를 써넣으세요.

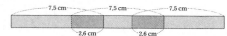

❖ 10+㉠−6=9 ➡ 10+㉠=15 ➡ ㉠=5
10+1−㉡=5 ➡ 11−㉡=5 ➡ ㉡=6
6−1−2=㉢ ➡ ㉢=3

8 색 테이프 3장을 다음과 같이 겹치는 부분의 길이가 같도록 길게 이어 붙였습니다. 이어 붙여서 만든 색 테이프의 전체 길이는 몇 cm인지 구해 보세요.

7.5 cm   7.5 cm   7.5 cm
2.6 cm   2.6 cm

(**17.3 cm**)

❖ (색 테이프 3장의 길이의 합)=7.5+7.5+7.5=22.5 (cm)
(겹친 부분의 길이의 합)=2.6+2.6=5.2 (cm)
➡ (이어 붙여서 만든 색 테이프의 전체 길이)
=22.5−5.2=17.3 (cm)

9 주영이는 엄마와 함께 농장에서 고구마를 캤습니다. 주영이는 고구마를 2.37 kg 캤고, 엄마는 주영이보다 1.75 kg 더 많이 캤습니다. 주영이와 엄마가 캔 고구마는 모두 몇 kg일까요?

(**6.49 kg**)

❖ (엄마가 캔 고구마의 무게)=2.37+1.75=4.12 (kg)
(두 사람이 캔 고구마의 무게)=2.37+4.12=6.49 (kg)

10 0부터 9까지의 수 중에서 □ 안에 들어갈 수 있는 수는 모두 몇 개인지 구해 보세요.

2.43−1.57>0.8□9

(**6개**)

❖ 2.43−1.57=0.86이므로 0.86>0.8□9입니다.
소수 첫째 자리 수가 같고 소수 셋째 자리 수가 0<9이므로 □
안에 들어갈 수 있는 수는 6보다 작은 수입니다.
따라서 □ 안에 들어갈 수 있는 수는 0, 1, 2, 3, 4, 5로 모두 6
개입니다.

11 ㉠에 알맞은 수를 구해 보세요.

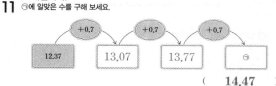

(**14.47**)

❖ 12.37+0.7+0.7+0.7=13.07+0.7+0.7
=13.77+0.7=14.47

12 ㉠이 나타내는 수는 ㉡이 나타내는 수의 몇 배일까요?

15.457
㉠ ㉡

(**100배**)

❖ ㉠: 5, ㉡: 0.05
➡ 5는 0.05의 100배이므로 ㉠이 나타내는 수는 ㉡이 나타내
는 수의 100배입니다.

사고력 종합 평가 정답과 풀이 15쪽

13 조건을 모두 만족하는 소수 세 자리 수를 구해 보세요.

조건
• 6보다 크고 7보다 작습니다.
• 소수 첫째 자리 수는 5입니다.   • 소수 둘째 자리 수는 2입니다.
• 소수 셋째 자리 수는 3으로 나누어떨어지는 수 중 가장 큰 자리 수입니다.

(**6.529**)

14 직사각형 모양의 액자 테두리를 따라 색 테이프를 붙이려고 합니다. 색 테이프는 적어도 몇 m 필요한지 구해 보세요.

(**15.04 m**)

✤ (필요한 색 테이프의 길이)$=\underline{4.69+2.83}+\underline{4.69+2.83}$

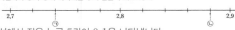

　　　　　　　　↳ $\rightarrow 7.52$　↳$\rightarrow 7.52$

　　　　　　　　$=7.52+7.52=15.04\,(m)$

15 수직선에서 ㉠과 ㉡이 나타내는 수의 합을 구해 보세요.

2.7　　　　　　㉠　　　2.8　　　　　㉡　　2.9

(**5.62**)

✤ 수직선에서 작은 눈금 5칸이 0.1을 나타냅니다.
$0.02+0.02+0.02+0.02+0.02=0.1$
이므로 작은 눈금 한 칸의 크기는 0.02입니다.

58 · Jump 4-2　㉠$=2.7+0.02+0.02=2.74$, ㉡$=2.9-0.02=2.88$

　　➔ $2.74+2.88=5.62$

➤ ✤ 6보다 크고 7보다 작으므로 일의 자리 수는 6입니다.
6.□□□에서 소수 첫째 자리 수는 5, 소수 둘째 자리 수는 2, 소수 셋째 자리 수는 3으로 나누어떨어지는 수 3, 6, 9……중에서 가장 큰 한 자리 수인 9입니다.
따라서 조건을 모두 만족하는 소수 세 자리 수는 6.529입니다.

[GO! 매쓰]
여기까지 3단원 내용입니다.
다음부터는 4단원 내용이
시작합니다.

유형 **1** 평행선 사이의 거리 구하기　문제 해결

정답과 풀이 15쪽

1 세 직선 가, 나, 다는 서로 평행합니다. 직선 가와 직선 다 사이의 거리를 구하려고 합니다. 물음에 답하세요.

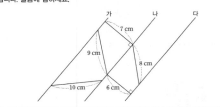

❶ 직선 가와 직선 나 사이의 거리는 몇 cm일까요?

(**7 cm**)

✤ 평행한 두 직선 사이의 거리는 두 직선 사이의 수선의 길이와 같습니다.
그림에서 직선 가와 직선 나 사이의 수선의 길이는 7 cm입니다.

❷ 직선 나와 직선 다 사이의 거리는 몇 cm일까요?

(**6 cm**)

✤ 그림에서 직선 나와 직선 다 사이의 수선의 길이는 6 cm입니다.

❸ 직선 가와 직선 다 사이의 거리는 몇 cm일까요?

(**13 cm**)

✤ (직선 가와 직선 다 사이의 거리)
　=(직선 가와 직선 나 사이의 거리)+(직선 나와 직선 다 사이의 거리)

60 · Jump 4-2　$=7+6=13\,(cm)$

2 세 직선 가, 나, 다는 서로 평행합니다. 직선 가와 직선 다 사이의 거리를 구해 보세요.

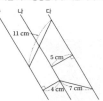

(**9 cm**)

✤ (직선 가와 직선 다 사이의 거리)
　=(직선 가와 직선 나 사이의 거리)+(직선 나와 직선 다 사이의 거리)
　$=4+5=9\,(cm)$

3 네 직선 가, 나, 다, 라는 서로 평행합니다. 직선 가와 직선 라 사이의 거리를 구해 보세요.

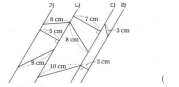

(**14 cm**)

✤ (직선 가와 직선 나 사이의 거리)$=5\,cm$
　(직선 나와 직선 다 사이의 거리)$=7\,cm$
　(직선 다와 직선 라 사이의 거리)$=2\,cm$
➔ (직선 가와 직선 라 사이의 거리)$=5+7+2=14\,(cm)$

4. 사각형 · **61**

유형 ② 도형의 둘레 구하기 추론

1 마름모 모양의 컵 받침 4개를 그림과 같이 이어 붙였습니다. 이어 붙인 컵 받침의 *둘레는 몇 cm인지 구하려고 합니다. 물음에 답하세요. *둘레: 사물의 가장자리를 한 바퀴 돈 길이

12 cm

❶ □ 안에 알맞은 말을 써넣으세요.

마름모는 네 변의 길이가 모두 같습니다 .

❷ 이어 붙인 컵 받침의 둘레는 컵 받침 한 변의 길이를 몇 번 더한 길이와 같을까요?
(10번)

✧ 이어 붙인 컵 받침의 둘레는 컵 받침 한 변의 길이를 10번 더한 길이와 같습니다.

❸ 이어 붙인 컵 받침의 둘레는 cm일까요?
(120 cm)

✧ (이어 붙인 컵 받침의 둘레)=(컵 받침 한 변의 길이)×10
=12×10=120 (cm)

62 · Jump 4-2

정답과 풀이 16쪽

2 정사각형과 마름모를 이어 붙여 만든 도형입니다. 도형의 둘레는 몇 cm인지 구해 보세요.

8 cm

(48 cm)

✧ 정사각형과 마름모는 네 변의 길이가 모두 같고, 정사각형과 마름모의 한 변이 맞닿아 있으므로 정사각형과 마름모의 한 변의 길이는 같습니다. 정사각형의 한 변의 길이는 8 cm이고 도형의 둘레는 정사각형의 한 변의 길이를 6번 더한 길이와 같습니다. ➔ 8×6=48 (cm)

3 모양과 크기가 같은 평행사변형 2개를 이어 붙여 만든 도형입니다. 도형의 둘레는 몇 cm인지 구해 보세요.

5 cm 12 cm 12 cm 5 cm
12 cm 12 cm

(58 cm)

✧ 평행사변형은 마주 보는 두 변의 길이가 같습니다.
➔ (도형의 둘레)=5+12+12+5+12+12=58 (cm)

4 모양과 크기가 같은 직사각형 3개를 이어 붙여 만든 도형입니다. 도형의 둘레는 직사각형의 가로와 세로를 각각 몇 번씩 더한 길이와 같은지 구해 보세요.

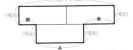

(가로)+(가로)
(세로) ■ (세로)
(세로) ▲ (세로) ●

도형의 둘레는 직사각형의 가로를 4번, 세로를 4번 더한 길이와 같습니다.

✧ 그림에서 ■+▲+●는 직사각형의 가로를 2번 더한 길이와 같습니다. 따라서 도형의 둘레는 직사각형의 가로를 4번, 세로를 4번 더한 길이와 같습니다.

4 단원

4. 사각형 · 63

유형 ③ 칠교판으로 여러 가지 사각형 만들기 창의·융합

1 칠교판을 이용하여 여러 가지 사각형을 만들려고 합니다. 물음에 답하세요.

중1형 칠교판

❶ 사다리꼴을 만들어 보세요.
예

✧ 평행한 변이 있는 사각형을 만듭니다.

❷ 평행사변형을 만들어 보세요.
예
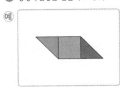

✧ 두 쌍의 변이 서로 평행한 사각형을 만듭니다.

❸ 직사각형을 만들어 보세요.
예

✧ 네 각이 모두 직각인 사각형을 만듭니다.

❹ 정사각형을 만들어 보세요.
예

✧ 네 변의 길이가 모두 같고, 네 각이 모두 직각인 사각형을 만듭니다.

64 · Jump 4-2

정답과 풀이 16쪽

[2~3] 칠교판을 이용하여 여러 가지 사각형을 만들려고 합니다. 물음에 답하세요.

2 칠교판을 이용하여 사다리꼴을 2가지 만들어 보세요.

예

3 주어진 수의 칠교판 조각을 이용하여 여러 가지 사각형을 만들어 보세요.

(1) 7조각으로 직사각형 만들기
예

(2) 4조각으로 정사각형 만들기
예

✧ (1) 칠교판 조각 7개를 모두 이용하여 직사각형을 만듭니다.

4 단원

4. 사각형 · 65

유형 ④ 수선을 이용하여 각도 구하기 〔문제 해결〕

정답과 풀이 17쪽

1 두 직선 가와 나가 서로 평행할 때, 각 ㄱㄴㄷ의 크기를 구하려고 합니다. 물음에 답하세요.

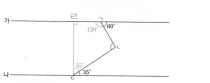

❶ 직선 나 위의 점 ㄷ에서 직선 가에 수선을 그었을 때 만나는 점을 점 ㄹ로 표시해 보세요.

❷ 각 ㄹㄷㄴ의 크기를 구해 보세요.

(**55°**)

✦ 선분 ㄹㄷ은 직선 나에 대한 수선이므로
(각 ㄹㄷㄴ)=90°−35°=55°입니다.

❸ 각 ㄹㄱㄴ의 크기를 구해 보세요.

(**120°**)

✦ 직선이 이루는 각도는 180°이므로
(각 ㄹㄱㄴ)=180°−60°=120°입니다.

❹ 각 ㄱㄴㄷ의 크기를 구해 보세요.

(**95°**)

✦ 사각형 ㄱㄴㄷㄹ의 네 각의 크기의 합은 360°이므로
(각 ㄱㄴㄷ)=360°−120°−55°−90°=95°입니다.

66 · Jump 4-2

2 그림에서 직선 ㄱㄹ은 직선 ㄷㅂ에 대한 수선입니다. 각 ㄹㅇㅁ의 크기를 구해 보세요.

(**25°**)

✦ 직선 ㄱㄹ과 직선 ㄷㅂ이 서로 수직이므로
(각 ㄷㅇㄹ)=90°입니다.
직선이 이루는 각도가 180°이므로
(각 ㄹㅇㅁ)=180°−(각 ㄴㅇㄷ)−(각 ㄷㅇㄹ)
=180°−65°−90°=25°입니다.

3 직선 가와 직선 나는 서로 평행합니다. 직선 나 위의 점 ㄷ에서 직선 가에 수선을 그어 각 ㄱㄴㄷ의 크기를 구해 보세요.

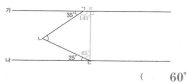

(**60°**)

✦ 직선 나 위의 점 ㄷ에서 직선 가에 수선을 그었을 때 만나는 점을 점 ㄹ이라 하면 (각 ㄹㄱㄴ)=180°−35°=145°,
(각 ㄴㄷㄹ)=90°−25°=65°입니다.
사각형 ㄱㄴㄷㄹ의 네 각의 크기의 합이 360°이므로
(각 ㄱㄴㄷ)=360°−145°−65°−90°=60°입니다.

4 단원

4. 사각형 · 67

유형 ⑤ 종이띠 위의 각도 구하기 〔추론〕

정답과 풀이 17쪽

1 모양과 크기가 같은 직사각형 모양의 종이띠 2장을 겹쳐 놓은 것입니다. 겹쳐진 부분은 한 각의 크기가 115°인 평행사변형입니다. 종이띠에 표시된 각 중에서 크기가 115°인 각은 모두 몇 개인지 구하려고 합니다. 물음에 답하세요.

직사각형은 네 각이 모두 직각입니다.
직선이 이루는 각의 크기는 180°입니다.
➡ 180°−115°=65°

사각형의 네 각의 크기의 합은 360°입니다.
➡ 360°−90°−90°−65°=115°

❶ 종이띠의 겹쳐진 부분입니다. ☐ 안에 알맞은 수를 써넣으세요.

[65] [65]
[115]

✦ 종이띠의 겹쳐진 부분은 평행사변형입니다. 평행사변형은 마주 보는 두 각의 크기가 같고 이웃한 두 각의 크기의 합이 180°입니다.

❷ 종이띠에 표시된 각의 크기를 모두 써 보세요.

❸ 종이띠에 표시된 각 중에서 크기가 115°인 각은 모두 몇 개일까요?

(**6개**)

68 · Jump 4-2

• 직선이 이루는 각의 크기는 180°입니다.
• 사각형의 네 각의 크기의 합은 360°입니다.

2 모양과 크기가 같은 직사각형 모양의 종이띠 2장을 겹쳐 놓은 것입니다. 종이띠에 표시된 각의 크기를 모두 써 보세요.

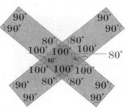

✦ 겹쳐진 부분은 두 쌍의 변이 서로 평행한 평행사변형입니다.
• 평행사변형은 마주 보는 두 각의 크기가 같고, 이웃한 두 각의 크기의 합이 180°입니다.
• 직사각형은 네 각이 모두 직각입니다.

3 모양과 크기가 같은 직사각형 모양의 종이띠 2장을 겹쳐 놓은 것입니다. 종이띠에 표시된 각 중에서 ㉠과 크기가 같은 각을 모두 찾아 ☐ 안에 기호를 써넣으세요.

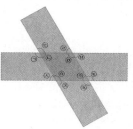

[㉢, ㉤, ㉥, ㉧, ㉣]

✦ ㉠+㉡=180°, ㉡+㉢=180° ➡ ㉠=㉢
㉠+㉡=180°, ㉡+㉤=180° ➡ ㉠=㉤
평행사변형은 마주 보는 두 각의 크기가 같으므로 ㉤=㉥입니다. ➡ ㉠=㉥
㉥=180°, ㉥+㉧=180° ➡ ㉥=㉧ ➡ ㉠=㉧
㉧+㉨=180°, ㉨+㉣=180° ➡ ㉧=㉣ ➡ ㉠=㉣

따라서 ㉠과 크기가 같은 각은 ㉢, ㉤, ㉥, ㉧, ㉣입니다.

4 단원

4. 사각형 · 69

유형 6 크고 작은 사각형의 수   정보 처리

1 오른쪽과 같이 6칸으로 나누어진 직사각형 모양의 3단 책장이 있습니다. 책장에서 찾을 수 있는 크고 작은 직사각형은 모두 몇 개인지 구하려고 합니다. 물음에 답하세요.

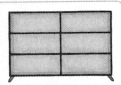

❶ 작은 사각형 1개짜리 직사각형은 모두 몇 개 찾을 수 있을까요?
(**6개**)

❷ 작은 사각형 2개짜리 직사각형은 모두 몇 개 찾을 수 있을까요?
(**7개**)

 : 4개, : 3개 ➡ 4+3=7(개)

❸ 작은 사각형 3개짜리 직사각형은 모두 몇 개 찾을 수 있을까요?
(**2개**)

❹ 작은 사각형 4개짜리 직사각형은 모두 몇 개 찾을 수 있을까요?
(**2개**)

❺ 작은 사각형 6개짜리 직사각형은 모두 몇 개 찾을 수 있을까요?
(**1개**)

❻ 크고 작은 직사각형은 모두 몇 개 찾을 수 있을까요?
(**18개**)

❖ 6+7+2+2+1=18(개)

70 · Jump 4-2

정답과 풀이 18쪽

 : 4개, : 2개, : 2개,

2 그림에서 찾을 수 있는 크고 작은 평행사변형은 모두 몇 개인지 구해 보세요.

(**13개**)

: 2개, : 2개, : 1개

➡ 4+2+2+2+2+1=13(개)

3 그림에서 찾을 수 있는 크고 작은 정사각형은 모두 몇 개인지 구해 보세요.

(**13개**)

❖ 또는 : 8개, : 2개, 또는 : 3개

➡ 8+2+3=13(개)

4 그림에서 찾을 수 있는 크고 작은 직사각형은 모두 몇 개인지 구해 보세요.

(**45개**)

❖ : 12개, : 9개, : 6개, : 6개, : 2개, : 3개,
: 4개, : 2개, : 1개

➡ 12+9+6+6+2+3+4+2+1=45(개)

4 단원

4. 사각형 · 71

사고력 종합 평가

1 칠교판을 이용하여 여러 가지 사각형을 만들고 사각형의 이름을 써 보세요.

(1) 예   (2) 예

(**직사각형**)   (**사다리꼴**)

2 세 직선 가, 나, 다는 서로 평행합니다. 직선 가와 직선 다 사이의 거리는 몇 cm일까요?

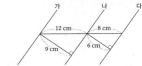

가   나   다

12 cm   8 cm
9 cm   6 cm

(**15 cm**)

❖ 평행선 사이의 거리는 평행선 사이의 수선의 길이입니다.
➡ (직선 가와 직선 다 사이의 거리)=9+6=15(cm)

72 · Jump 4-2

❖ 마름모는 이웃한 두 각의 크기의 합이 180°이므로   정답과 풀이 18쪽
ⓒ=180°-70°=110°입니다.

3 마름모와 정사각형의 변을 이어 붙여 만든 도형입니다. ㉠의 각도를 구해 보세요.

70°

(**160°**)

❖ 정사각형의 네 각은 모두 직각이고 한 바퀴는 360°이므로
㉠+110°+90°=360°, ㉠+200°=360°, 360°-200°=160°입니다.

4 모양과 크기가 같은 직사각형 모양의 종이띠 2장을 겹쳐 놓은 것입니다. ㉠의 각도를 구해 보세요.

120°

(**60°**)

❖ 종이띠의 겹쳐진 부분은 두 쌍의 변이 서로 평행한 평행사변형입니다.
평행사변형은 마주 보는 두 각의 크기가 같으므로 ⓒ=120°입니다.
➡ ㉠=180°-120°=60°

5 칠교판을 이용하여 네 각이 모두 직각인 사각형을 만들어 보세요.

 ➡ 예

❖ 칠교판을 이용하여 네 각이 모두 직각인 직사각형을 만듭니다.

4 단원

4. 사각형 · 73

사고력 종합 평가

➻ (시루떡의 세로)＝⑩＋⑪＋⑫에서 평행선 사이의 거리는 어디
에서 재어도 모두 같으므로 ⑩＝③, ⑪＝⑤, ⑫＝⑨입니다.
➔ (시루떡의 세로)＝③＋⑤＋⑨

6 직사각형 모양의 시루떡을 그림과 같이 12조각으로 잘랐습니다. 자르기 전 시루떡의 세로를 ①~⑨를 이용하여 나타내어 보세요.

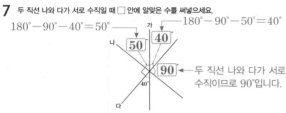

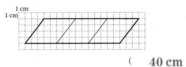

(시루떡의 세로)＝③＋⑤＋⑨

7 두 직선 나와 다가 서로 수직일 때 ☐ 안에 알맞은 수를 써넣으세요.

$180°－90°－40°＝50°$ 　　　$180°－90°－50°＝40°$

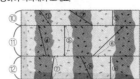

두 직선 나와 다가 서로
수직이므로 90°입니다.

8 모양과 크기가 같은 마름모 3개를 이어 붙여 만든 도형입니다. 도형의 둘레는 몇 cm인지 구해 보세요.

(**40 cm**)

74 · Jump 4-2 ➻ 마름모는 네 변의 길이가 모두 같습니다. 주어진 도형의
둘레는 마름모의 한 변의 길이를 8번 더한 길이와 같으므로
$5×8＝40$ (cm)입니다.

---

9 그림에서 찾을 수 있는 크고 작은 마름모는 모두 몇 개인지 구해 보세요.

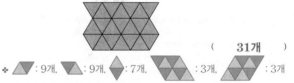

(**31개**)

➻ : 9개, : 9개, : 7개, : 3개, : 3개

➔ $9＋9＋7＋3＋3＝31$(개)

10 두 직선 가와 나는 서로 평행합니다. 각 ㉠의 크기를 구해 보세요.

(**70°**)

➻ 직선 가 위의 점 ㄴ에서 직선 나에 수선을 그었을 때
만나는 점을 점 ㅁ이라 하면 (각 ㅁㄴㄷ)＝90°－30°＝60°,
(각 ㅁㄹㄷ)＝180°－40°＝140°이므로
사각형 ㄴㄷㄹㅁ에서 ㉠＝360°－60°－90°－140°＝70°입니다.

11 모양과 크기가 같은 직사각형 모양의 종이띠 2장을 겹쳐 놓은 것입니다. 각 ㉠과 각 ㉡의 크기를 각각 구해 보세요.

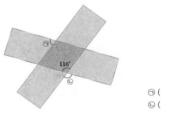

㉠ (**70°**)
㉡ (**110°**)

➻ 겹쳐진 부분은 두 쌍의 변이 서로 평행한 평행사변형입니다.
평행사변형은 마주 보는 두 각의 크기가 같으므로 ㉢＝110°입니다.
$㉠＋110°＝180°$ ➔ $㉠＝180°－110°＝70°$
$110°＋㉣＝180°$ ➔ $㉣＝180°－110°＝70°$,
$㉣＋㉡＝180°$ ➔ $㉡＝180°－㉣＝180°－70°＝110°$

4. 사각형 · **75**

4 단원

76쪽

사고력 종합 평가

12 그림에서 찾을 수 있는 평행사변형은 모두 몇 개인지 구해 보세요.

(**13개**)

➻ : 4개, : 2개, : 2개, : 2개, : 2개, : 1개

➔ $4＋2＋2＋2＋2＋1＝13$(개)

13 두루마리 휴지 한 칸의 크기가 다음과 같을 때, 연결된 두루마리 휴지 9칸의 둘레는 몇 mm인지 구해 보세요.

114 mm
100 mm

(**2252 mm**)

➻ (두루마리 휴지 9칸의 가로의 합)＝$114×18＝2052$ (mm)
(두루마리 휴지 9칸의 세로의 합)＝$100×2＝200$ (mm)
➔ (두루마리 휴지 9칸의 둘레)＝$2052＋200＝2252$ (mm)

14 그림에서 찾을 수 있는 크고 작은 사다리꼴은 모두 몇 개일까요?

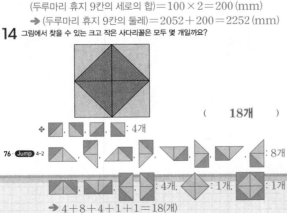

(**18개**)

➻ , , , : 4개

76 · Jump 4-2 　 , : 8개

, : 4개, : 1개, : 1개

➔ $4＋8＋4＋1＋1＝18$(개)

[GO! 매쓰]
여기까지 4단원 내용입니다.
다음부터는 5단원 내용이
시작합니다.

유형 ① 꺾은선이 2개인 그래프에서 차이 구하기 [정보 처리]

정답과 풀이 20쪽

1 3월부터 8월까지 월별 최저 기온과 최고 기온을 조사하여 나타낸 꺾은선그래프입니다. 최저 기온과 최고 기온의 차이가 가장 큰 때와 가장 작은 때는 각각 몇 월인지 구하려고 합니다. 물음에 답하세요.

월별 최저 기온과 최고 기온

① 최저 기온과 최고 기온의 차이가 가장 큰 때는 몇 월일까요?
(**4월**)

✤ 최저 기온과 최고 기온을 나타내는 두 점 사이의 거리가 가장 많이 벌어진 달을 찾으면 4월입니다.

② 최저 기온과 최고 기온의 차이가 가장 작은 때는 몇 월일까요?
(**7월**)

✤ 최저 기온과 최고 기온을 나타내는 두 점 사이의 거리가 가장 적게 벌어진 달을 찾으면 7월입니다.

78 · Jump 4–2

2 어느 문구점의 공책과 수첩 판매량을 월별로 조사하여 나타낸 꺾은선그래프입니다. 공책과 수첩 판매량의 차가 가장 큰 때는 몇 월인지 구해 보세요.

공책과 수첩 판매량

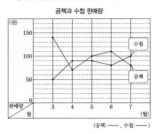

(공책: —— , 수첩: ——)

(**3월**)

✤ 두 점 사이의 거리가 가장 벌어진 때는 3월입니다.

3 A 동물원과 B 동물원의 요일별 입장객 수를 조사하여 나타낸 꺾은선그래프입니다. 두 동물원의 입장객 수의 차가 가장 큰 요일에는 입장객 수의 차가 몇 명이었는지 구해 보세요.

A 동물원과 B 동물원의 입장객 수

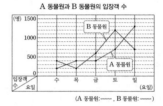

(A 동물원: —— , B 동물원: ——)

(**600명**)

✤ A 동물원과 B 동물원의 입장객 수의 차가 가장 큰 때는 두 점 사이가 가장 많이 벌어진 일요일입니다.
세로 눈금 한 칸의 크기는 100명이고, 일요일에 두 점 사이가 6칸만큼 벌어져 있으므로 입장객 수의 차는 $100 \times 6 = 600$(명)입니다.

5단원

5. 꺾은선그래프 · 79

유형 ② 꺾은선그래프의 세로 눈금 알아보기 [문제 해결]

정답과 풀이 20쪽

1 신발 판매량을 조사하여 나타낸 표를 보고 세로 눈금 한 칸의 크기가 10켤레인 꺾은선그래프로 나타내려고 합니다. 신발이 가장 많이 팔린 요일과 가장 적게 팔린 요일은 세로 눈금이 몇 칸 차이가 나는지 구하려고 합니다. 물음에 답하세요.

신발 판매량

요일(요일)	월	화	수	목	금	토
판매량(켤레)	420	390	500	460	510	370

① 신발이 가장 많이 팔린 요일은 언제이고, 몇 켤레 팔렸을까요?
(**금요일**), (**510켤레**)

✤ 판매량의 수를 비교합니다.
백의 자리 숫자가 5인 500과 510 중에서 510이 더 큰 수이므로 금요일의 판매량이 가장 많습니다.

② 신발이 가장 적게 팔린 요일은 언제이고, 몇 켤레 팔렸을까요?
(**토요일**), (**370켤레**)

✤ 백의 자리 숫자가 3인 390과 370 중에서 370이 더 작은 수이므로 토요일의 판매량이 가장 적습니다.

③ 세로 눈금 한 칸의 크기가 10켤레인 꺾은선그래프로 나타내면 신발이 가장 많이 팔린 요일과 가장 적게 팔린 요일은 세로 눈금이 몇 칸 차이가 날까요?
(**14칸**)

✤ (신발 판매량의 차)=$510 - 370 = 140$(켤레)
➡ $140 \div 10 = 14$(칸)

80 · Jump 4–2

2 다음 표를 보고 세로 눈금 한 칸의 크기가 50대인 꺾은선그래프로 나타내려고 합니다. 자동차 생산량이 가장 많은 연도와 가장 적은 연도는 세로 눈금이 몇 칸 차이가 나는지 구하려고 합니다. 물음에 답하세요.

자동차 생산량

연도(년)	2014	2015	2016	2017	2018	2019
생산량(대)	3400	2850	3000	3300	3550	2900

(1) 자동차 생산량이 가장 많은 연도와 가장 적은 연도의 생산량의 차를 구해 보세요.
(**700대**)

✤ 자동차 생산량이 가장 많은 때는 2018년으로 3550대이고 자동차 생산량이 가장 적은 때는 2015년으로 2850대입니다.
$3550 - 2850 = 700$(대)

(2) 자동차 생산량이 가장 많은 연도와 가장 적은 연도의 세로 눈금이 몇 칸 차이가 나는지 구해 보세요.
(**14칸**)

✤ $700 \div 50 = 14$(칸)

3 다음 표를 보고 세로 눈금 한 칸의 크기가 2회인 꺾은선그래프로 나타내려고 합니다. 윗몸 말아 올리기를 가장 많이 한 요일과 가장 적게 한 요일은 세로 눈금이 몇 칸 차이가 나는지 구해 보세요.

윗몸 말아 올리기 횟수

요일(요일)	월	화	수	목	금
횟수(회)	18	30	22	26	32

(**7칸**)

✤ 윗몸 말아 올리기를 가장 많이 한 요일: 금요일(32회)
윗몸 말아 올리기를 가장 적게 한 요일: 월요일(18회)
➡ $32 - 18 = 14$(회)
➡ $14 \div 2 = 7$(칸)

5단원

5. 꺾은선그래프 · 81

정답과 풀이 21쪽

유형 ③ 꺾은선그래프의 내용 알아보기 │ 문제 해결

1 빵집에서 판매한 도넛의 수를 5일 동안 조사하여 나타낸 꺾은선그래프입니다. 도넛 1개의 가격이 1200원일 때, 5일 동안 도넛을 판매하고 받은 금액은 모두 얼마인지 구해 보세요.

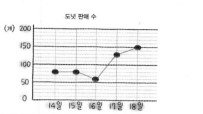

도넛 판매 수

❶ 세로 눈금 한 칸의 크기는 몇 개일까요?

(**10개**)

✧ 세로 눈금 5칸이 50개를 나타내므로 한 칸은 10개를 나타냅니다.

❷ 5일 동안의 판매량은 모두 몇 개일까요?

(**500개**)

✧ 14일: 80개, 15일: 80개, 16일: 60개,
   17일: 130개, 18일: 150개
   ➡ 80＋80＋60＋130＋150＝500(개)

❸ 5일 동안 판매하고 받은 금액은 모두 얼마일까요?

(**600000원**)

✧ 1200×500＝600000(원)

2 만두 한 상자의 가격이 2000원일 때, 월요일부터 금요일까지 만두를 판매하고 받은 금액은 모두 얼마인지 구해 보세요.

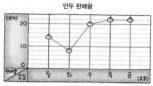

만두 판매왕

(**172000원**)

✧ 월요일: 14상자, 화요일: 8상자, 수요일: 20상자,
   목요일: 22상자, 금요일: 22상자
   ➡ 14＋8＋20＋22＋22＝86(상자)
   ➡ 2000×86＝172000(원)

3 선풍기 한 대의 가격이 45000원일 때, 판매량이 가장 많은 달과 가장 적은 달의 판매 금액의 차는 얼마인지 구해 보세요.

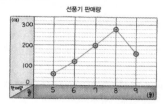

선풍기 판매량

(**9900000원**)

✧ 판매량이 가장 많은 달은 8월로 280대이고,
   가장 적은 달은 5월로 60대입니다.
   ➡ (판매량의 차)＝280－60＝220(대)
   ➡ (판매 금액의 차)＝45000×220＝9900000(원)

5 단원

정답과 풀이 21쪽

유형 ④ 꺾은선그래프를 보고 예상해 보기 │ 추론

1 자동차가 일정한 빠르기로 간 거리를 나타낸 꺾은선그래프입니다. 이 자동차가 같은 빠르기로 간다면 45분 동안 가는 거리는 몇 km인지 구하려고 합니다. 물음에 답하세요.

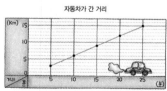

자동차가 간 거리

❶ 자동차는 5분 동안 몇 km를 갈까요?

(**3 km**)

❷ 45분은 5분의 몇 배일까요?

(**9배**)

✧ 45÷5＝9(배)

❸ 자동차는 45분 동안 몇 km를 갈까요?

(**27 km**)

✧ 3×9＝27(km)

2 수도꼭지를 틀어 나온 물의 양을 나타낸 꺾은선그래프입니다. 이 수도꼭지를 1시간 동안 틀어 놓았을 때 나온 물의 양은 몇 L가 되는지 구해 보세요.

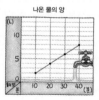

나온 물의 양

(**12 L**)

✧ 수도꼭지에서 10분 동안 2 L씩 물이 나옵니다.
   1시간은 60분이고 60분은 10분의 6배이므로 1시간 동안 나온
   물은 2×6＝12 (L)입니다.

3 어느 인형 공장의 인형 생산량을 나타낸 꺾은선그래프입니다. 같은 빠르기로 인형을 만든다면 55분 동안 인형을 몇 개 만들 수 있는지 구해 보세요.

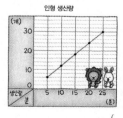

인형 생산량

(**66개**)

✧ 공장에서 인형을 5분에 6개씩 만듭니다.
   55÷5＝11이므로 55분 동안 인형을 6×11＝66(개) 만듭니다.

5 단원

유형 ⑤ 꺾은선그래프 완성하기 [정보 처리]

정답과 풀이 22쪽

1 학교 도서관에서 이번 주에 빌려준 책의 수를 조사하여 나타낸 표와 꺾은선그래프입니다. 빌려준 책의 총 권수가 1080권일 때, 물음에 답하세요.

빌려준 책의 수

요일(요일)	월	화	수	목	금
책의 수(권)	200	230	250	220	180

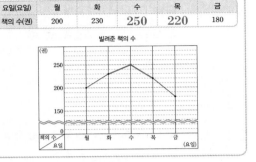

❶ 목요일에 빌려준 책은 몇 권일까요?

(**220권**)

✧ 꺾은선그래프에서 목요일에 빌려준 책은 220권입니다.

❷ 수요일에 빌려준 책은 몇 권일까요?

(**250권**)

✧ (수요일에 빌려준 책의 수)
$= 1080 - 200 - 230 - 220 - 180 = 250$(권)

❸ 표와 꺾은선그래프를 완성해 보세요.

✧ 꺾은선그래프의 가로 눈금이 수요일일 때 세로 눈금이 250권
인 곳에 점을 찍고 선으로 잇습니다.

2 어느 공장에서 연도별 불량품 수를 조사하여 나타낸 표와 꺾은선그래프입니다. 2014년부터 2018년까지 불량품의 전체 개수가 410개일 때, 표와 그래프를 완성해 보세요.

불량품 수

연도(년)	2014	2015	2016	2017	2018
불량품 수(개)	80	120	70	100	40

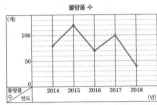

✧ (2018년의 불량품 수)$= 410 - 80 - 120 - 70 - 100$
$= 40$(개)

3 어느 붕어빵 가게의 요일별 판매량을 조사하여 나타낸 표와 꺾은선그래프입니다. 수요일의 판매량은 금요일의 판매량보다 40개 더 많을 때 표와 꺾은선그래프를 완성해 보세요.

붕어빵 판매량

요일(요일)	월	화	수	목	금	합계
판매량(개)	200	260	340	280	300	1380

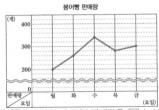

✧ 금요일의 판매량을 □개라 하면, 수요일 판매량은 (□+40)개입니다.
수요일과 금요일의 판매량의 합은
$1380 - 200 - 260 - 280 = 640$(개)입니다.
$□+□+40 = 640$이므로 $□+□ = 600$이고, $□=300$입니다.
따라서 금요일의 판매량은 300개, 수요일의 판매량은
$300+40 = 340$(개)입니다.

유형 ⑥ 알맞은 그래프로 나타내기 [정보 처리]

정답과 풀이 22쪽

1 어느 도시의 연도별 인구수를 조사하여 나타낸 표입니다. 물음에 답하세요.

연도별 인구수

연도(년)	2014	2015	2016	2017	2018	2019
인구수(명)	119600	118600	118000	117400	117200	115200

❶ 연도별 인구수의 변화를 나타낼 때 막대그래프와 꺾은선그래프 중에서 더 알맞은 그래프는 무엇일까요?

(**꺾은선그래프**)

❷ 다음 그래프의 세로 눈금 한 칸의 크기는 몇 명일까요?

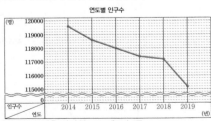

✧ 세로 눈금 5칸이 1000명을 나타내므로 세로 눈금 (**200명**)
한 칸은 $1000 \div 5 = 200$(명)을 나타냅니다.

❸ 위의 그래프를 완성하세요.

✧ 세로 눈금 한 칸의 크기가 200명인 것을 이용하여 꺾은선그래프를 완성합니다.

❹ 위 ❸에서 완성한 그래프에서 알 수 있는 내용 한 가지를 써 보세요.

예 **이 도시의 인구수는 매년 줄어들고 있습니다. / 전년과
비교하여 인구수가 가장 많이 줄어든 해는 2019년입니다.**

2 그래프로 나타낼 때 막대그래프보다 꺾은선그래프로 나타내면 더 좋은 것을 모두 찾아 기호를 써 보세요.

> ㉠ 공장별 자동차 생산량
> ㉡ 학생별 좋아하는 간식
> ㉢ 강아지의 월별 무게의 변화
> ㉣ 가게에 있는 종류별 과일 수
> ㉤ 혜미의 연도별 키의 변화

(**㉢, ㉤**)

✧ 꺾은선그래프는 시간에 따라 변화하는 모습을 나타낼 때 사용하면 좋습니다.

3 바다 표면의 수온을 조사하여 나타낸 표입니다. 바다 표면의 수온의 변화를 알아보려고 할 때 막대그래프와 꺾은선그래프 중에서 더 알맞은 그래프로 나타내어 보세요.

바다 표면의 수온

월(월)	1	3	5	7	9	11
수온(℃)	8	8	10	20	22	18

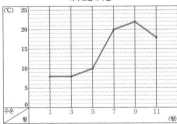

✧ 시간에 따라 변화하는 양이므로 꺾은선그래프로 나타내는 것이 더 알맞습니다.

사고력 종합 평가

정답과 풀이 23쪽

[1~2] 다음 자료를 조사하여 나타낼 때 어느 그래프로 나타내는 것이 더 좋은지 알맞은 그래프에 ○표 하세요.

1 1년 동안의 기온 변화

(막대그래프 ㉧꺾은선그래프㉧)

❖ 시간의 흐름에 따라 변하는 양을 나타낼 때에는 막대그래프보다 꺾은선그래프가 더 알맞습니다.

2 진주네 학교의 반별 학생 수

(㉧막대그래프㉧ 꺾은선그래프)

❖ 항목별 수를 나타내어 비교할 때에는 꺾은선그래프보다 막대그래프가 더 알맞습니다.

3 준호의 몸무게를 조사하여 나타낸 꺾은선그래프입니다. 준호의 몸무게는 조사한 기간 동안 몇 kg 늘어났는지 구해 보세요.

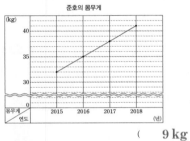

준호의 몸무게

(**9 kg**)

❖ 2015년: 32 kg, 2018년: 41 kg
➡ 41－32＝9(kg)

4 표를 보고 세로 눈금 한 칸의 크기가 5개인 꺾은선그래프로 나타내려고 합니다. 아이스크림이 가장 많이 팔린 달과 가장 적게 팔린 달은 세로 눈금이 몇 칸 차이가 나는지 구해 보세요.

아이스크림 판매량

월(월)	3	4	5	6	7
판매량(개)	20	35	50	70	95

(**15칸**)

❖ 가장 많이 팔린 달: 95개, 가장 적게 팔린 달: 20개
95－20＝75(개) ➡ 75÷5＝15(칸)

[5~6] 햄버거 가게에서 5일 동안 판매한 새우 버거의 수를 조사하여 나타낸 꺾은선그래프입니다. 새우 버거 1개의 가격이 2500원일 때, 물음에 답하세요.

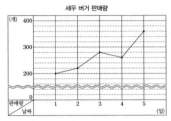

새우 버거 판매량

5 5일 동안 판매한 새우 버거는 모두 몇 개일까요?

(**1320개**)

❖ 1일: 200개, 2일: 220개, 3일: 280개, 4일: 260개, 5일: 360개
➡ 200＋220＋280＋260＋360＝1320(개)

6 5일 동안 새우 버거를 판매하고 받은 금액은 모두 얼마일까요?

(**3300000원**)

❖ 2500×1320＝3300000(원)

5 단원

사고력 종합 평가

정답과 풀이 23쪽

[7~9] 어느 치킨 가게의 월요일부터 금요일까지 판매 건수는 172건입니다. 요일별 판매 건수를 조사하여 나타낸 표와 꺾은선그래프를 보고 물음에 답하세요.

치킨 판매 건수

요일(요일)	월	화	수	목	금
판매 건수(건)	40	32	20	**36**	44

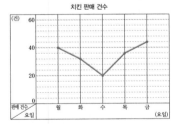

치킨 판매 건수

7 목요일의 치킨 판매 건수는 몇 건일까요?

(**36건**)

❖ 172－40－32－20－44＝36(건)

8 표와 꺾은선그래프를 완성해 보세요.

❖ 그래프에서 세로 눈금 5칸이 20건을 나타내므로 세로 눈금 한 칸은 20÷5＝4(건)을 나타냅니다.

9 판매 건수가 가장 많은 요일과 가장 적은 요일의 판매 건수의 차는 몇 건일까요?

(**24건**)

❖ 판매가 가장 많은 요일은 금요일로 44건이고, 가장 적은 요일은 수요일로 20건입니다. ➡ 44－20＝24(건)

10 버스가 일정한 빠르기로 간 거리를 나타낸 꺾은선그래프입니다. 이 버스가 같은 빠르기로 간다면 1시간 10분 동안 가는 거리는 몇 km인지 구해 보세요.

버스가 간 거리

(**56 km**)

❖ 버스는 5분에 4 km씩 갑니다.
1시간 10분＝70분, 70분은 5분의 70÷5＝14(배)입니다.
➡ 14×4＝56(km)

[11~12] 식물의 키의 변화를 조사하여 나타낸 꺾은선그래프입니다. 물음에 답하세요.

㉮ 식물의 키 / ㉯ 식물의 키

11 조사하는 동안 시들기 시작한 식물은 어느 것일까요?

(**㉯ 식물**)

❖ ㉯ 식물은 선이 올라가다가 내려갔으므로 조사하는 동안 시들기 시작했습니다.

12 ㉮ 식물의 키는 조사 기간 동안 몇 cm 자랐을까요?

(**16 cm**)

❖ 3월: 4 cm, 6월: 20 cm
➡ 20－4＝16(cm)

5 단원

사고력 종합 평가

정답과 풀이 24쪽

[13~15] 서울과 울릉도의 강수량을 월별로 조사하여 나타낸 꺾은선그래프입니다. 물음에 답하세요.

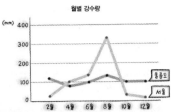
월별 강수량

13 서울과 울릉도 중에서 월별 강수량의 변화가 더 큰 지역은 어디일까요?
(서울)

✦ 서울의 강수량은 첫째 칸부터 넷째 칸까지, 울릉도의 강수량은 첫째 칸부터 둘째 칸까지 변화합니다. 따라서 서울의 강수량의 변화가 더 큽니다.

14 서울과 울릉도의 강수량의 차가 가장 큰 달은 몇 월일까요?
(8월)

✦ 두 꺾은선 사이의 간격이 가장 큰 달을 찾으면 8월입니다.

15 서울과 울릉도의 강수량의 차가 가장 작은 달은 몇 월일까요?
(4월)

✦ 두 꺾은선 사이의 간격이 가장 작은 달을 찾으면 4월입니다.

[GO! 매쓰]
여기까지 5단원 내용입니다.
다음부터는 6단원 내용이
시작합니다.

유형 **①** 다각형의 이름 알아보기
정보 처리

정답과 풀이 24쪽

1 주리가 퍼즐을 맞추고 있습니다. ㉠과 ㉡에 알맞은 퍼즐 조각은 어떤 다각형인지 알아보려고 합니다. 물음에 답하세요.

❶ ㉠과 ㉡에 알맞은 퍼즐 조각의 변의 수를 각각 써 보세요.
㉠ (5개)
㉡ (4개)

❷ ㉠과 ㉡에 알맞은 퍼즐 조각은 어떤 다각형인지 이름을 각각 써 보세요.
㉠ (오각형)
㉡ (사각형)

✦ ㉠에 알맞은 퍼즐 조각은 변이 5개인 다각형이므로 오각형입니다.
㉡에 알맞은 퍼즐 조각은 변이 4개인 다각형이므로 사각형입니다.

2 표지판에서 볼 수 있는 다각형의 이름을 써 보세요.

(1)

어린이보호

(2)
66

(오각형)   (팔각형)

✦ (1) 변이 5개인 다각형이므로 오각형입니다.
(2) 변이 8개인 다각형이므로 팔각형입니다.

3 다각형의 변의 수와 꼭짓점의 수의 차를 구해 보세요.

 → 칠각형

(0)

✦ 다각형의 변의 수와 꼭짓점의 수는 항상 같습니다.
→ (다각형의 변의 수)－(다각형의 꼭짓점의 수)＝0

4 모양 조각을 사용하여 만든 모양입니다. 육각형 모양 조각은 사각형 모양 조각보다 몇 개 더 적은지 구해 보세요.

(8개)

✦ 육각형: 2개,
사각형: 육각형과 삼각형 모양 조각을 뺀 나머지 모양 조각은 모두 사각형 모양 조각이므로 10개입니다. → 10－2＝8(개)

6 단원

유형 ② 빨간색 선의 길이 구하기 〔문제 해결〕

1 여러 가지 정다각형을 겹치지 않게 이어 붙여서 만든 도형입니다. 정삼각형의 세 변의 길이의 합이 36 cm일 때, 빨간색 선의 길이를 구하려고 합니다. 물음에 답하세요.

❶ 정삼각형의 한 변의 길이는 몇 cm일까요?
(**12 cm**)
❖ 36÷3＝12(cm)

❷ 빨간색 선의 길이는 정삼각형의 한 변의 길이의 몇 배일까요?
(**12배**)

❸ 빨간색 선의 길이는 몇 cm일까요?
(**144 cm**)
❖ 12×12＝144(cm)

2 네 변의 길이의 합이 16 cm인 마름모를 겹치지 않게 이어 붙여 만든 도형입니다. 빨간색 선의 길이를 구해 보세요.

(**48 cm**)
❖ (마름모의 한 변의 길이)＝16÷4＝4(cm)
빨간색 선의 길이는 마름모의 한 변의 길이의 12배이므로
4×12＝48(cm)입니다.

3 여러 가지 정다각형을 겹치지 않게 이어 붙여서 만든 도형입니다. 정칠각형의 모든 변의 길이의 합이 91 cm일 때, 빨간색 선의 길이를 구해 보세요.

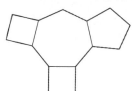
(**182 cm**)
❖ (정칠각형의 한 변의 길이)＝91÷7＝13(cm)
빨간색 선의 길이는 정칠각형의 한 변의 길이의 14배이므로
13×14＝182(cm)입니다.

유형 ③ 대각선을 그었을 때 생기는 각 〔추론〕

1 사각형 ㄱㄴㄷㄹ은 직사각형입니다. 각 ㄱㅁㄹ의 크기를 구하려고 합니다. 물음에 답하세요.

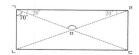

❶ 각 ㅁㄱㄹ의 크기를 구해 보세요.
(**20°**)
❖ 직사각형은 모든 각이 직각이므로
(각 ㅁㄱㄹ)＝90°－70°＝20°입니다.

❷ 각 ㅁㄹㄱ의 크기를 구해 보세요.
(**20°**)
❖ 직사각형의 두 대각선은 길이가 같고, 한 대각선은 다른 대각선을 똑같이 둘로 나눕니다.
따라서 삼각형 ㅁㄱㄹ은 두 변의 길이가 같은 이등변삼각형이므로 (각 ㅁㄹㄱ)＝(각 ㅁㄱㄹ)＝20°입니다.

❸ 각 ㄱㅁㄹ의 크기를 구해 보세요.
(**140°**)
❖ 삼각형 ㄱㅁㄹ의 세 각의 크기의 합은 180°이므로
(각 ㄱㅁㄹ)＝180°－20°－20°＝140°입니다.

2 사각형 ㄱㄴㄷㄹ은 직사각형입니다. 각 ㅁㄱㄹ의 크기를 구해 보세요.

(**35°**)
❖ 직사각형은 두 대각선의 길이가 같고, 한 대각선은 다른 대각선을 똑같이 둘로 나눕니다. 따라서 삼각형 ㄱㅁㄹ은 이등변삼각형입니다.
➡ (각 ㅁㄱㄹ)＋(각 ㅁㄹㄱ)＝180°－110°＝70°,
(각 ㅁㄱㄹ)＝70°÷2＝35°

3 사각형 ㄱㄴㄷㄹ은 마름모입니다. 각 ㄱㄷㄹ의 크기를 구해 보세요.

(**25°**)
❖ 마름모는 마주 보는 두 각의 크기가 같으므로 (각 ㄱㄹㄷ)＝(각 ㄱㄴㄷ)＝130°입니다. 마름모는 네 변의 길이가 모두 같으므로 삼각형 ㄱㄹㄷ은 (각 ㄹㄱㄷ)＝(각 ㄹㄷㄱ)인 이등변삼각형입니다.
➡ (각 ㄹㄱㄷ)＋(각 ㄹㄷㄱ)＝180°－130°＝50°,
(각 ㄱㄷㄹ)＝50°÷2＝25°

4 사각형 ㄱㄴㄷㄹ은 정사각형입니다. 각 ㄹㄴㄷ의 크기를 구해 보세요.

(**45°**)
❖ 삼각형 ㄹㄴㄷ은 (변 ㄹㄷ)＝(변 ㄴㄷ)이므로 이등변삼각형입니다.
(각 ㄹㄷㄴ)＝90°이므로
(각 ㄹㄴㄷ)＋(각 ㄴㄹㄷ)＝180°－90°＝90°,
(각 ㄹㄴㄷ)＝90°÷2＝45°

유형 ④ 사각형의 대각선의 성질 활용 〔문제 해결〕

1 사각형 ㄱㄴㄷㄹ이 마름모이고 두 대각선의 길이의 합이 42 cm일 때 선분 ㄴㅁ의 길이를 구하려고 합니다. 물음에 답하세요.

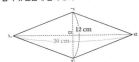

❶ 선분 ㄴㄹ의 길이를 구해 보세요. (**30 cm**)

❖ (선분 ㄴㄹ)=42−(선분 ㄱㄷ)=42−12=30 (cm)

❷ 마름모의 대각선의 성질을 나타낸 것입니다. □ 안에 알맞은 말을 써넣으세요.

마름모는 두 대각선이 서로 │**수직**│으로 만나고, 한 대각선이 다른 대각선을
          또는 직각
똑같이 │**둘**│(으)로 나눕니다.
    또는 반

❸ 선분 ㄴㅁ의 길이를 구해 보세요. (**15 cm**)

❖ (선분 ㄴㅁ)+(선분 ㅁㄹ)=30 cm
→ (선분 ㄴㅁ)=30÷2=15 (cm)

2 사각형 ㄱㄴㄷㄹ은 직사각형입니다. 선분 ㄱㄷ의 길이를 구해 보세요.

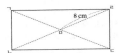

(**16 cm**)

❖ 직사각형은 두 대각선의 길이가 같고, 한 대각선이 다른 대각선을 똑같이 둘로 나눕니다.
→ (선분 ㄱㄷ)=(선분 ㄴㄹ)=8×2=16 (cm)

3 사각형 ㄱㄴㄷㄹ은 두 대각선의 길이의 합이 30 cm인 평행사변형입니다. 선분 ㄱㅁ의 길이를 구해 보세요.

(**7 cm**)

❖ 평행사변형은 한 대각선이 다른 대각선을 똑같이 둘로 나눕니다.
(선분 ㄴㄹ)=8×2=16 (cm),
(선분 ㄱㄷ)=30−16=14 (cm)
→ (선분 ㄱㅁ)=14÷2=7 (cm)

4 사각형 ㄱㄴㄷㄹ은 직사각형, 사각형 ㅁㄴㄷㅂ은 평행사변형입니다. 사각형 ㅁㄴㄷㅂ의 네 변의 길이의 합은 몇 cm인지 구해 보세요.

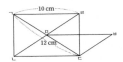

(**32 cm**)

❖ 직사각형의 마주 보는 두 변의 길이는 같으므로 (선분 ㄴㄷ)=(선분 ㄱㄹ)=10 cm입니다.
직사각형은 두 대각선의 길이가 같고, 한 대각선이 다른 대각선을 똑같이 둘로 나눕니다.
(선분 ㄴㄹ)=(선분 ㄱㄷ)=12 cm. (선분 ㄴㅁ)=12÷2=6 (cm)
평행사변형의 마주 보는 두 변의 길이는 같으므로 사각형 ㅁㄴㄷㅂ에서
(선분 ㅁㅂ)=(선분 ㄴㄷ)=10 cm. (선분 ㅂㄷ)=(선분 ㅁㄴ)=6 cm입니다.
→ 사각형 ㅁㄴㄷㅂ의 네 변의 길이의 합은 6+10+6+10=32 (cm)입니다.

6 단원

유형 ⑤ 그을 수 있는 대각선의 수 〔추론〕

1 식탁에 여러 가지 다각형 모양의 그릇이 올려져 있습니다. 각 그릇의 바닥에 그을 수 있는 대각선의 수의 합을 구하려고 합니다. 물음에 답하세요.

❶ 각 그릇의 바닥에 그을 수 있는 대각선을 모두 그어 보세요.

❖ 사각형에는 대각선 2개, 육각형에는 9개, 오각형에는 5개를 긋습니다.

❷ 각 그릇의 바닥에 그을 수 있는 대각선의 수의 합은 몇 개일까요? (**16개**)

❖ 2+9+5=16(개)

2 팔각형에 그을 수 있는 대각선을 모두 긋고, 그을 수 있는 대각선의 수를 구하는 식을 완성해 보세요.

(그을 수 있는 대각선의 수)
=(한 꼭짓점에서 그을 수 있는 대각선의 수)×(꼭짓점의 수)÷2
= │**5**│×│**8**│÷2=│**40**│÷2=│**20**│(개)
         계산 순서 바꾸기

❖ 한 꼭짓점에서 그을 수 있는 대각선은 5개이고, 대각선을 그을 수 있는 꼭짓점이 8개이므로 5×8=40(개)입니다.
이때 대각선의 수는 2번씩 중복되어 세어진 것이므로 그을 수 있는 대각선의 수는 40÷2=20(개)입니다.

3 어떤 다각형의 한 꼭짓점에서 그을 수 있는 대각선이 4개일 때, 이 다각형에 그을 수 있는 대각선은 모두 몇 개인지 구해 보세요.

(1) 다각형의 이름은 무엇일까요?
❖ ■각형의 한 꼭짓점에서 그을 수 있는 (**칠각형**)
대각선의 수는 (■−3)개이므로 ■−3=4, ■=4+3=7에서
다각형은 칠각형입니다.
(2) 다각형에 그을 수 있는 대각선은 모두 몇 개일까요? (**14개**)

❖ 칠각형에 그을 수 있는 대각선의 수는
4×7=28, 28÷2=14(개)입니다.

6 단원

유형 6 정다각형의 한 각의 크기 활용 문제 해결

1 종이로 정육각형 20개와 정오각형 12개를 만들고 이어 붙이면 축구공을 만들 수 있습니다. 만든 축구공의 일부분을 다시 펼쳤을 때 ㉠의 각도를 구하려고 합니다. 물음에 답하세요.

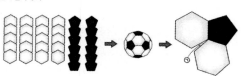

❶ 정오각형의 한 각의 크기를 구해 보세요.

(**108°**)

✣ 정오각형은 삼각형 3개로 나눌 수 있으므로 정오각형의 모든 각의 크기의 합은 180°×3=540°입니다.
➜ 정오각형은 각의 크기가 모두 같으므로 정오각형의 한 각의 크기는 540°÷5=108°입니다.

❷ 정육각형의 한 각의 크기를 구해 보세요.

(**120°**)

✣ 정육각형은 사각형 2개로 나눌 수 있으므로 정육각형의 모든 각의 크기의 합은 360°×2=720°입니다.
➜ (정육각형의 한 각의 크기)=720°÷6=120°

❸ ㉠의 각도를 구해 보세요.

(**12°**)

✣ 한 바퀴를 이루는 각의 크기는 360°이므로
㉠=360°−120°−120°−108°=12°입니다.

---

2 오각형 ㄱㄴㄷㄹㅁ은 정오각형입니다. 변 ㄱㅁ과 변 ㄷㄹ을 연장하여 만든 삼각형 ㅁㄹㅂ에서 각 ㅁㅂㄹ의 크기를 구해 보세요.

(**36°**)

✣ (정오각형의 모든 각의 크기의 합)=180°×3=540°
(정오각형의 한 각의 크기)=540°÷5=108°
직선이 이루는 각의 크기는 180°이므로
(각 ㅁㄹㅂ)=(각 ㄹㅁㅂ)=180°−108°=72°입니다.
삼각형 ㅁㄹㅂ에서
(각 ㅁㅂㄹ)=180°−72°−72°=36°입니다.

3 팔각형 ㄱㄴㄷㄹㅁㅂㅅㅇ은 정팔각형입니다. 물음에 답하세요.

(1) 정팔각형의 한 각의 크기를 구해 보세요.

(**135°**)

(2) 각 ㄱㄴㅅ과 각 ㅇㅅㄴ의 크기의 합을 구해 보세요.

(**90°**)

✣ (1) 정팔각형은 사각형 3개로 나눌 수 있으므로 정팔각형의 모든 각의 크기의 합은 360°×3=1080°입니다.
➜ (정팔각형의 한 각의 크기)=1080°÷8=135°
(2) 사각형 ㄱㄴㅅㅇ의 네 각의 크기의 합은 360°이므로
(각 ㄱㄴㅅ)+(각 ㅇㅅㄴ)=360°−135°−135°=90°입니다.

사고력 종합 평가

[1~2] 영서가 맞추고 있는 퍼즐의 마지막 조각은 어떤 다각형인지 알아보려고 합니다. 물음에 답하세요.

1 마지막 퍼즐 조각의 변의 수와 꼭짓점의 수를 각각 □ 안에 써넣으세요.

변의 수 ➜ **6** 개, 꼭짓점의 수 ➜ **6** 개

2 마지막 퍼즐 조각으로 알맞은 다각형의 이름을 써 보세요.

(**육각형**)

✣ 변의 수와 꼭짓점의 수가 6개인 다각형은 육각형입니다.

3 도형에서 찾을 수 있는 정다각형의 이름에 모두 ○표 하세요.

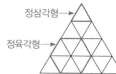

정삼각형
정사각형
정육각형
정팔각형

(정삼각형, 정육각형 에 ○표)

✣ 변의 길이와 각의 크기가 모두 같은 다각형을 정다각형이라고 합니다.

---

4 모양 조각을 사용하여 만든 모양입니다. 삼각형 모양 조각은 사각형 모양 조각보다 몇 개 더 적은지 구해 보세요.

(**4개**)

✣ 삼각형: 초록색 모양 조각 2개,
사각형: 초록색이 아닌 모양 조각 6개
➜ 6−2=4(개)

[5~6] 여러 가지 정다각형을 겹치지 않게 이어 붙여서 만든 도형입니다. 물음에 답하세요.

5 도형을 이루고 있는 정다각형의 이름을 모두 써 보세요.

(**정삼각형, 정사각형, 정육각형**)

6 빨간색 선의 길이를 구해 보세요.

(**72 cm**)

✣ 정삼각형, 정사각형, 정육각형의 한 변의 길이는 모두 6 cm로 같습니다. 따라서 빨간색 선의 길이는 6 cm인 변 12개의 길이의 합과 같으므로 6×12=72(cm)입니다.

7 길이가 3 m인 철사로 한 변의 길이가 9 cm인 정팔각형 3개를 만들었습니다. 만들고 남은 철사는 몇 cm인지 구해 보세요.

(**84 cm**)

✣ (정팔각형 1개를 만드는 데 필요한 철사의 길이)=9×8=72(cm)
(정팔각형 3개를 만드는 데 필요한 철사의 길이)
=72×3=216(cm)
3 m=300 cm이므로 정팔각형 3개를 만들고 남은 철사의 길이는
300−216=84(cm)입니다.

사고력 종합 평가

정답과 풀이 28쪽

8 구각형에 그을 수 있는 대각선의 수를 구하는 식을 완성해 보세요.

(구각형에 그을 수 있는 대각선의 수)
= (한 꼭짓점에서 그을 수 있는 대각선의 수)×(꼭짓점의 수)÷ 2
= 6 ×9÷ 2 = 54 ÷2= 27 (개)

✦ 구각형의 한 꼭짓점에서 그을 수 있는 대각선은 6개이고 대각선을
그을 수 있는 꼭짓점은 9개이므로 6×9=54(개)입니다.
이때 대각선의 수는 2번씩 중복되어 세어진 것이므로 그을 수 있는
대각선의 수는 54÷2=27(개)입니다.

9 십각형에 그을 수 있는 대각선은 모두 몇 개일까요?
✦ 십각형의 한 꼭짓점에서 그을 수 있는   (**35개**)
대각선은 7개이고, 대각선을 그을 수 있는 꼭짓점은 10개이므로
7×10=70(개)입니다. 이때 대각선의 수는 2번씩 중복되어 세어
진 것이므로 그을 수 있는 대각선의 수는 70÷2=35(개)입니다.

10 사각형 ㄱㄴㄷㄹ은 직사각형입니다. 각 ㅁㄷㄴ의 크기를 구해 보세요.

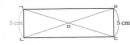

(**20°**)

✦ 직선이 이루는 각의 크기는 180°이므로 (각 ㄴㅁㄷ)=180°−40°=140°입니다.
직사각형은 두 대각선의 길이가 같고 한 대각선이 다른 대각선을 똑같이 둘로 나누
므로 삼각형 ㅁㄴㄷ은 이등변삼각형입니다.
➜ (각 ㅁㄷㄴ)+(각 ㅁㄴㄷ)=180°−140°=40°, (각 ㅁㄷㄴ)=40°÷2=20°

11 사각형 ㄱㄴㄷㄹ은 직사각형입니다. 삼각형 ㄱㄴㅁ의 둘레가 21 cm일 때, 선분 ㄱㄷ의
길이를 구해 보세요.

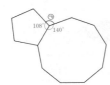

(**16 cm**)

✦ 직사각형은 마주 보는 두 변의 길이가 같으므로 (변 ㄱㄴ)=(변 ㄹㄷ)=5 cm
입니다. 직사각형은 두 대각선의 길이가 같고, 한 대각선이 다른 대각선을 똑같이
둘로 나눕니다.
삼각형 ㄱㄴㅁ에서 (선분 ㄱㅁ)+(선분 ㄴㅁ)=21−5=16(cm),
(선분 ㄱㅁ)=16÷2=8(cm)입니다. ➜ (선분 ㄱㄷ)=8×2=16(cm)

12 사각형 ㄱㄴㄷㄹ은 직사각형이고, 사각형 ㄱㅁㅂㄹ은 평행사변형입니다. 사각형 ㄱㅁㅂㄹ
의 네 변의 길이의 합은 몇 cm인지 구해 보세요.

(**52 cm**)

✦ 직사각형은 한 대각선이 다른 대각선을 똑같이 둘로 나누므로
(선분 ㄱㅁ)=20÷2=10 (cm)입니다.
평행사변형의 마주 보는 두 변의 길이는 같으므로
(선분 ㄹㅂ)=(선분 ㄱㅁ)=10 cm, (선분 ㅁㅂ)=(선분 ㄱㄹ)=16 cm입니다.
➜ (사각형 ㄱㅁㅂㄹ의 네 변의 길이의 합)=10+16+10+16=52(cm)

13 육각형 ㄱㄴㄷㄹㅁㅂ은 정육각형입니다. 변 ㄱㅂ과 변 ㄹㅁ을 연장하여 만든 삼각형
ㅂㅁㅅ의 각 ㅂㅅㅁ의 크기를 구해 보세요.

(**60°**)

✦ 정육각형은 사각형 2개로 나눌 수 있으므로
정육각형의 모든 각의 크기의 합은=360°×2=720°입니다.
➜ (정육각형의 한 각의 크기)=720°÷6=120°
직선이 이루는 각의 크기는 180°이므로
(각 ㅅㅂㅁ)=180°−120°=60°, (각 ㅅㅁㅂ)=180°−120°=60°입니다.
삼각형 ㅂㅁㅅ에서 (각 ㅂㅅㅁ)=180°−60°−60°=60°입니다.

14 어떤 다각형의 한 꼭짓점에서 그을 수 있는 대각선이 3개일 때, 이 다각형에 그을 수 있
는 대각선은 모두 몇 개일까요?

(**9개**)

✦ 다각형의 꼭짓점의 수를 □개라 하면 한 꼭짓점에서 그을 수 있는 대각선은
(□−3)개이므로 □−3=3, □=3+3=6입니다.
꼭짓점이 6개인 다각형은 육각형이므로 육각형에 그을 수 있는 대각선의
수를 구하면 3×6=18, 18÷2=9(개)입니다.

6
단원

사고력 종합 평가

정답과 풀이 28쪽

15 정오각형과 정구각형을 겹치지 않게 이어 붙여 만든 도형입니다. 각 ㉠의 크기를 구해 보
세요.

(**112°**)

✦ 정오각형은 삼각형 3개로 나눌 수 있으므로 정오각형의 한 각의
크기를 구하면 180°×3=540°, 540°÷5=108°입니다.
정구각형은 삼각형 7개로 나눌 수 있으므로 정구각형의 한 각의
크기를 구하면 180°×7=1260°, 1260°÷9=140°입니다.
➜ ㉠=360°−108°−140°=112°

16 그을 수 있는 대각선의 수가 20개인 정다각형의 한 각의 크기는 몇 도인지 구하려고 합
니다. 물음에 답하세요.

(1) 그을 수 있는 대각선의 수가 20개인 다각형을 구하려고 합니다. 표를 완성하고 규
칙을 알아보세요.

다각형	사각형	오각형	육각형	칠각형	팔각형
그을 수 있는 대각선의 수(개)	2	5	9	14	20

3개 4개 5개 6개

(2) 그을 수 있는 대각선의 수가 20개인 정다각형은 무엇일까요?
✦ (1)의 표에서 그을 수 있는 대각선이 20개인   (**정팔각형**)
다각형은 팔각형이므로 그을 수 있는 대각선이 20개인 정다각형은
정팔각형입니다.
(3) 위 (2)에서 구한 정다각형의 한 각의 크기를 구해 보세요.
(**135°**)
✦ 정팔각형은 사각형 3개로 나눌 수 있으므로
(정팔각형의 모든 각의 크기의 합)=360°×3=1080°입니다.
➜ (정팔각형의 한 각의 크기)=1080°÷8=135°

[GO! 매쓰]
수고하셨습니다.

누구나
쉽고 재미있게
시작하는

노크
시리즈

사고력 수학 노크(총 40권)

PA단계(8권)	**A단계**(8권)	**B단계**(8권)	**C단계**(8권)	**D단계**(8권)
7~8세 권장	8~9세 권장	9~10세 권장	10~11세 권장	11~12세 권장

영역별 구성

창의력과 **사고력**이
쑥쑥 자라는 수학 전문서

 실생활 소재로 수학의 흥미와 관심 UP!

 다양한 유형의 창의력 문제 수록

 융합적 사고력을 높여주는 구성

 초등 수학과 연계

수학 4-2

정답과 풀이

Jump

GO!

유형 사고력

Run

GO!

교과서 사고력

Start

GO!

교과서 개념